京都力

人を魅了する力の正体

柏井 壽
Kashiwai Hisashi

PHP新書

まえがき

　元号が平成から令和に替わろうとするころ、京都の街は我が世の春を謳歌《おうか》していました。まさかそのあとに厳しい冬がやってくるなど夢にも思わずに。

　ちょうどそのころ、ぼくは小説を書くために、京都駅近くや四条烏丸のホテルに籠《こも》ることが多かったのですが、観光客、とりわけ外国人のあまりの多さに驚くばかりでした。ホテルのなかはもちろん、通りを歩く人々、飲食店のお客さんなどのほとんどは観光客でした。

　たしかに京都は旅人を強く惹きつける街ですし、ぼくもその魅力を語り、発信し続けてきましたから、当たり前だとも言えるのですが、いささか常軌《じょうき》を逸しているのでは、と思うに至りました。

　何冊も京都本を書いておきながら、今さらではありますが、なぜこれほど京都はひとを魅了するのだろうか、と改めてその力を不思議に思ったと同時に、その力の根源を探ってみようと思い立ったのが、本書を著すきっかけでした。

そんななかで京都に一大転機が訪れます。言うまでもなく新型コロナウイルスによる移動制限です。

過剰とも思えた人出がばったりと途絶え、京の街から観光客が消えてしまいました。そしてそれは短期で終わることなく、一年を超えてなお続いたのです。

観光都市として繁栄してきた京都は大打撃をこうむり、このまま寂れてしまうかもしれない。令和二年が終わろうとするころには、そんな悲嘆の声があがるようになりました。

まさか、という思いと、ひょっとすると、という危惧を綯《な》い交ぜにするうち、はたと思いあたったのです。京都にとってこんな危機は初めてではないことに。

長く都として日本の中心にあった京都は、たびたび争いの場ともなり、戦乱の被害をこうむってきました。また、多くの人々が住まい行き交うことから大火にも遭い、疫病が蔓延《まんえん》することも度重なってきました。

それでも今日の隆盛を誇ることができているのは、京都に備わり、かつ長く培《つちか》ってきた、不屈とも言える力があったからです。

幾度となく遭遇してきた災厄に打ち克ち、不死鳥のように蘇ってきた京都。その根源にあるものもまた、京都力と呼べるのではないかと思います。

なぜ京都はこれほど多くのひとを魅了するのか。

京を焼き尽くした天明の大火や、都を失った東京遷都など。度重なる危機をいかにして乗り越えてきたのか。そしてコロナ禍をどうやって乗り切るのか。あれこれと思いを巡らせてみました。

コロナ禍が一段落すれば、きっと京都にはまた多くの人々が訪れ、なにごともなかったかのように賑《にぎ》わいを取り戻すに違いありません。その様子を目の当《ま》たりにすれば、なるほど、これが京都力かとうなずかれることでしょう。そのときを心待ちにしつつ、京都の不思議な力についての考察を愉しんでいただければ、幸いです。

京都力

目次

第一章　京のブランド力――虚像でできた街の強さ

第二章　イケズの本質——京女の言葉力　京男の伊達力

第三章

京のイメージ力——京都はイメージでできている

第四章 京の美食力――なぜ京都の食は天下無敵なのか

第五章　京都の厄除力とリセット力

第一章

京のブランド力——虚像でできた街の強さ

なぜ人は京都に惹かれるのか　コロナ直前の隆盛

京都という街はなぜこれほど多くのひとを惹きつけるのでしょう。

新型コロナウイルスによって、緊急事態宣言が発出されて様相が一変しましたが、その直前まで京都は大変な賑《にぎ》わいを見せていました。

京都駅には毎日ひとがあふれ返り、駅周辺には次々とホテルが建設され、毎日がお祭り騒ぎでした。日本人よりも外国人のほうがはるかに多かったようです。駅のコンコースには、いろんな外国語が飛び交っていました。

なぜこんなに大勢のひとたちが京都にやってくるのか。なにが目的なのか。狭い京都のなかのどこでなにをしているのか。京都に住むひとたちはみんな不思議に思いながらも、街が栄えるのだから悪いことではないだろうと、横目で見ながら様子見していたというのが偽らざるところです。

京都は街そのものが〈京〉というブランドです。そのブランドへの憧れが旅人を京都へ誘《いざな》うのでしょう。

しかしながらブランドというものは、ある程度の希少性があってこそ人気を呼ぶのですから、それがありふれたものになってしまうと価値は減ってしまいます。

かつて京都という街は、パリやローマの高級ブティックとおなじように、澄まし顔で門戸を狭めていました。

ここに入り込んでもいいのだろうか。おそるおそるそのなかを覗《のぞ》き込み、勇気を出して足を踏み入れた瞬間に、思わず身が縮こまってしまう。

そんな狭き門なればこその京都ブランド力は、観光客の激増とともに翳《かげ》りを見せはじめるようになります。緊張することもなく、誰もがずかずかと京都に入ってくるようになりました。

長く官民一体となって熱烈に観光客を誘致してきたことが、ようやく実を結んだとばかり、より一層観光業に力を注ごうとして、京都市はホテル建設を強力に推進してきました。街のそこかしこにあった空地や、使われなくなっていた建物はどれもがホテルに生まれ変わり、京都の街はホテルだらけになったのです。

それでも足りずに民泊という名の簡易宿泊所が、街のあちこちに出現し出すと、さらに観光客が増加し、街を歩いているひとのほとんどが、京都の住民以外という事態にまで至りました。

地下鉄や京都市バスといった公共交通機関に乗れば、ざっと七割は観光客が占めている。それがコロナ騒動が起こる直前、令和元年の秋から令和二年のお正月ごろまで続きました。

このまま京都観光のトップシーズンとも言える桜の季節を迎えればどうなるのだろう。想像も付かないような大混雑になるのでは、と多くの京都市民が危惧していました。

観光公害という言葉が、あちらこちらから聞こえるようになっていたのです。それもしかし当然のことでしょう。あまりに多い観光客のおかげで、市民生活が脅《おびや》かされるようになってしまっていたのですから。

一例を挙げましょう。

『清水寺』をはじめとして、名だたる京都の観光名所を訪ねるのに、至極便利な京都市バスに二〇六号系統があります。JR京都駅を起点として、都大路を循環するのですが、その路線上には『京都第一赤十字病院』と『京都大学病院』という、京都を代表するふたつの大きな病院があります。

当然のことながら、このふたつの病院に通院されている患者さんも少なくなく、ほとんどの方がこの二〇六号系統のバスを利用されているのです。

何かしらの病《やまい》を抱えておられる患者さんにとって、大きな荷物を持った観光客の乗客は、大きな障害になります。それどころか、満員で通過していくバスを何台も見送らねばならない、という由々しき事態が頻発するようになったのです。

かつて日本には「産めよ増やせよ」という時代があったのですが、それに倣《なら》えとばかりに京都は「来させよ増やせよ」と言い続けて来たのです。そのツケが回りはじめたのは、年号が平成から令和に変わったころでした。

伝統産業をはじめ、多くの地場産業が衰退した京都という街にとって、観光業は一大産業として、重要な役割を果たしてきました。全国各地の商店街に見られるシャッター街も、京都の中心地ではめったに見かけることはありません。どころか、錦市場などは、その通りの狭さも相まって、多くの人がひしめき合い、歩くこともままならないほどの混雑ぶりを見せるようになっていました。

錦市場の入り口

本来錦市場は観光客には向かない場所

長く〈京の台所〉と称され、京に住む人々

が良質の食材を求めて足を運んだ市場は、いつの間にか観光市場へと変身していたのです。観光客と市場。一見するとつながりは細いように見えますが、即席食堂となれば話は別です。

近所の市場と違い、かつて錦市場は子どものころから特別な存在でした。プロが食材を買い求めに来るのが本筋で、一般客はその余禄にあずかるといったふうな空気が漂っていたのです。母のお伴で付いていくときも、錦市場と聞くと緊張感を持つのが常でした。店先でぼーっと突っ立っていると怒鳴られそうでしたし、通りを歩くときも店の邪魔にならないよう、ずいぶんと気を遣ったものでした。

そんな錦市場が食べ歩きストリートになるとは、夢にも思いませんでしたが、〈京の台所〉は、あっさり〈アジアのマーケット〉に変身したのです。

公共の場所で立ち食いするなど、長く京に住まう者にとってはあり得ないのですが、いつの間にか錦市場では当たり前の光景になってしまいました。

少し考えれば、こうなることは容易に予測できたはずです。なぜなら本来の錦市場は観光客には向かない場所だったからです。

先にも書きましたように、本来はプロの料理人御用達として知られる市場ですから、通りすがりの旅人には無縁の店ばかりが建ち並んでいるのです。

旅人にとって明石《あかし》の港で揚がった天然鯛など土産になろうはずがありません。いくら京野菜が人気だといっても、道中の重荷にしかならない野菜を買い求めることもはばかられます。となると、「これが天下に名高い錦市場か」と見物し、記念写真に収めるのが関の山。お金を落としてくれる客などほとんどいません。

そこで一計を案じたのが惣菜店です。まずは試食に力を入れるようになりました。俗に〈京のおばんざい〉と呼ばれる惣菜をつまようじで食べられる。これが観光客には人気を呼びました。しかしながら試食では収入にはなりません。やがてそれは商品になり、飛ぶように売れはじめると、ほかの業種もこれを真似しはじめました。

串に刺したタコや、天ぷらを食べながら歩くことが、錦市場を訪ねる愉しみだ。いつの間にかテレビの旅番組もそんなふうに伝えはじめたのです。

こうなると、ますます地元京都人の足は遠のき、錦小路を歩いているのは観光客ばかりになってしまいました。

こうして市民の足である京都市バスも、台所も奪われるに至って、ずっと我慢に我慢を重ねてきた京都市民も、観光公害にＮＯ！を唱えはじめました。オーバーツーリズムという言葉も使われはじめ、当の観光業者さんたちからも、「これ以上観光客を誘致しないほうがいいのではないか」という声が上がりはじめたのです。

経済を最優先に、観光客を積極的に誘致してきた行政も、さすがにこの問題を放置するわけにはいかず、スピードダウンを始めたのが令和元年から二年へと移ろうころでした。

しかしながら、いったん動きはじめた歯車を止めるのは、そう簡単なことではありません。折しも令和二年の夏には、国を挙げてのビッグイベントである東京オリンピックが開催予定でした。経済効果と呼ばれる数字がちらつくと、後退するなどあり得ない派が黙っていません。イケイケの空気は衰えるどころか、ますます勢いづいていったのです。

京都人のいない京の街　そして誰もいなくなった

そして迎えた令和二年。正月が明け、梅が咲き誇るころになると、思いもかけない事態が発生しました。新型コロナウイルスという疫病が世界中に蔓延《まんえん》し、観光どころではなくなったのです。

その結果どうなったかは、ご承知のとおりです。令和二年から三年へと移り変わっても、京都は閑散としています。

インバウンド客は壊滅状態。国内の観光客も激減し、京の街はゴーストタウンと化しました。もちろんそれは京都だけではなく、日本各地はもちろん、世界中の観光地から人が消えたのです。

歩くのもままならなかった花見小路や三年坂は人っ子ひとりいない、という、近年見たこともない光景を生み出しました。

令和二年の春から夏へと、ずっとそんな状態が続きましたが、コロナウイルスの感染拡大第二波が収束しはじめたころ、ＧｏＴｏトラベルキャンペーンなるものが実施され、京都の街もかつての賑わいを少しずつ取り戻すようになりました。

観光産業で成り立っていると言っても過言ではない京都にとって、旅行の制限や自粛は大きな打撃を与えるものです。政府が旗を振って旅行を勧奨するＧｏＴｏトラベルキャンペーンは強烈なカンフル剤となりました。

とりわけ第三波の直前、紅葉シーズン真っただ中の十一月の三連休は、例年を上回る人出で大いに賑わいました。

人気の店には長い行列ができ、交通機関はすし詰め状態で、三密を避けるどころか過密を余儀なくされるほどになりました。

しかしそれもつかの間。第三波に襲われるとまた元《もと》の木阿弥《もくあみ》になってしまい、師走《しわす》の京都は主な行事も行われず、閑古鳥《かんこどり》が鳴く街と化してしまいました。

初詣すら自粛の波に押され、例年なら大混雑する『伏見稲荷大社』とて例外ではありません。駅から参道へと続く道も人出はまばらでした。

これから先の京都がどうなっていくのか。盛時の賑わいを取り戻すことができるのか。誰にも予想は付きませんが、ひとつだけたしかなことがあります。

それは、京都という街は、幾度となくこうした災厄に遭い、その度に乗り越えてきたという事実です。

千二百年という長い都の歴史には、人災もあれば天災もありました。権力が集中する都市の常として、為政者たちの争いの場となり、多くの町衆《まちしゆう》たちがその渦に巻き込まれ、多大な犠牲をはらってきたのです。

もうこれで都もおしまいだ。町衆たちは何度そう思ってきたでしょう。しかしその度に京都は復活してきたのです。そしてそこには、長い都のあいだに培《つちか》われてきた気性や知恵がたくさんありました。

そのひとつが〈そこにないものをあるように見せるワザ〉です。

イメージだけの平安京——奈良にあって京都にないもの

——鳴くよウグイス平安京

日本人なら誰もが知っているフレーズは、西暦七九四年に京に都が置かれ、平安京が始まった年を覚えるために作られたものですね。

もちろんそれよりはるか前から、この国に人が住み、営みを続けてきたのですが、今の日本文化に直結しているのは平安京以降だと思われているようです。

日本という国にとっては、飛鳥時代や奈良時代はとてもだいじなのですが、どうやらその時代は、終わってしまった〈過去〉とされているようです。

それはおそらく、古墳や遺跡などのいまだ謎に包まれている遺構が、目に見えるかたちで残されているからだろうと思います。

西洋風に言うならば、紀元前、紀元後でしょうか。西暦七九四年という年は、今の日本の誕生年と思われているのではないかとぼくは推し測っています。

それゆえ京都という街は、日本文化が生まれた地だとなり、日本人すべての心の故郷となったのだろうと思います。

当時の中国の都市、長安をモデルにして造営された平安京。雅楽が流れ、雅《みやび》な装束に身を包んだお公家さんたちが、のんびりと大路小路を行き交う。これぞ日本の原点ですね。

そんなイメージを今の京都に重ねておられる方は少なくないと思います。しかしながら、残念なことに今の京都では平安京当時の姿を垣間《かいま》見ることすらできません。そこが奈良との大きな違いです。

比べてはいけないのかもしれませんが、どちらが貴重かと言えば、言うまでもありませんね。歴史的価値からすれば、京都より奈良に軍配が上がるのは自明の理でしょう。時代的にも飛鳥や奈良のほうが平安より古いわけですから、希少性も奈良の勝ちでしょう。

奈良では往時の平城京を垣間見ることができます。ですが、京都に平安京の姿かたちはほとんどと言っていいほど残されていません。なにもないのに、ひとは今の京都に平安京を重ねてしまうのです。

観光地としての人気は京都と奈良では歴然たる差があります。実際の観光客の数は年によって変わるようですが、書店のガイド本コーナーを見れば、その違いは一目瞭然《いちもくりょうぜん》。京都を百とすれば、奈良は一あるかどうかだと言っても過言ではありません。あるいは雑誌の特集記事でも、京都は年に何度も組まれますが、奈良特集という記事はめったに見かけません。

先述しましたように、歴史的価値のみならず、過去の遺構がそのまま残っているという見地からも、圧倒的に奈良のほうが見どころも多いのですが、何度も京都を訪れても、めったに奈良まで足を運ばないのです。どうにも不思議なことですね。

ふつうに考えれば、平安時代の遺構がほとんど残っていない京都より、平安時代よりも古い飛鳥時代や奈良時代の、それも歴史的価値の高い建造物が多く現存している奈良を選ぶはずなのですが、現実にはそうならないのです。

もちろん奈良を訪れる観光客は、国の内外を問わず、決して少なくはありませんが、その数の違いは歴然としています。実際に数えたわけではありませんが、ホテルの客室数などは圧倒的に京都のほうが多いでしょうし、飲食店や土産物屋さんの数でも、京都に比べて奈良は相当少ないはずです。

奈良だけではなく近江《おうみ》もしかりです。

ともすれば見落とされがちですが、奈良に負けず劣らず近江にも、日本の伝統文化を代表する遺構がたくさん残されています。とりわけ渡岸寺《どうがんじ》観音堂の十一面観音をはじめとする仏像文化においては、近江ならではの貴重な文化財が多く残されています。

——近江は京の舞台裏

日本の伝統文化に造詣の深かった白洲正子さんの言葉は、けだし名言だと思います。京都が表舞台として晴れやかな姿を見せられるのも、近江という地が舞台裏で支えてくれているからこそなのです。

白洲さんの言葉に倣うなら、

――奈良は京都の楽屋裏

となるでしょうか。主役も脇役も、表舞台で演じる役者たちは、楽屋に控え、化粧をし、衣装を整え、じっと表舞台での姿を見守っているのでしょう。

ではありますが、奈良も近江も最初からそうだったのではありません。どちらも立派な表舞台だったはずです。それがいつの間にか裏方に追いやられてしまった、というのが本当のところでしょう。

あくまで推測に過ぎませんが、京都と近すぎることが奈良や近江にとって不利な材料となっているのではないでしょうか。まずは京都へ観光に訪れ、余力があれば奈良や近江も訪れてみる。そう片づけられてしまったように思います。

奈良も近江も京都市営地下鉄に乗れば、乗り換えることなくそのままたどり着けるのです。京都にはたったふたつしか地下鉄の路線はありませんが、その路線上に奈良も近江も含まれているのです。

たとえば京都市のほぼ真ん中に位置する、烏丸御池《からすまおいけ》駅から京都市営地下鉄烏丸線の奈良行き急行に乗れば、一時間弱で近鉄奈良駅に着きます。

あるいは近江の場合ですと、もっと短い時間で行けます。同じく烏丸御池駅から東西線に乗れば、三十分足らずで近江の入口であるびわ湖浜大津駅に着くことができます。

京のひとり勝ち

これだけ近くて便利だと、足は運んでも長く滞在しようとは思わなくなるのが人情というものです。なにしろ本来の目的は京都であり、かつ、長い滞在に耐えるものを京都はたくさん持っているからです。

となると当然ながら経済効果にも大きな差が出ているでしょう。下世話な言い方で申しわけありませんが、京都は観光でたくさん儲けていますが、奈良はそのおこぼれにあずかる程度でしかありません。

仕方がないとあきらめていたように見えていた奈良も、積極的に観光客を誘致し始め、そのとっかかりに選んだのが宿泊施設。乏しかった本格的ホテルが、奈良の市内にポッポッと建ちはじめました。

それぞれが個性的で、これなら京都ではなく奈良に宿泊する観光客が増えるのではないかと、多くが予想しましたが、はたしてどうだったでしょう。

運悪くコロナ騒動に遭遇してしまい、明確な結果は出ていませんが、決して芳《かんば》しいとは言えない状況が続いているようです。

官民ともに少しばかり勘違いしていたのは、宿泊施設が足りないから奈良に泊まらない、のではなく、ひと晩滞在するほどの魅力がないから奈良に泊まらなかった、ということです。

奥山の一軒宿は別として、宿泊客というものは、宿の周辺を散策したり、ぶらぶら街歩きを愉しんだりすることも宿泊の目的に含めているものです。温泉街などがその典型でしょうか。浴衣姿で繰り出し、下駄の音をカラコロ鳴らしながら土産物を物色したり、外湯を愉しんだりして一夜を過ごすのです。

そういう施設が周囲にないと、宿に閉じこもるしかありません。結果、泊まる愉しみは半減してしまうのです。奈良にしても近江にしても、その点から見ると、まったくもって京都には敵《かな》いません。

なぜ京都のひとり勝ちが長く続いたか。その最大の理由は、ないものをあるように見せる力が京都に備わっているからなのです。

実際にはなくても、京都ならあるかもしれないなと思わせる力です。さまざまな場面で、京都はこの、ないものをあるように見せる力を使って、弥栄《いやさか》を続けてきたのです。

ひとは時として、見えるものより、見えないものを畏怖《いふ》します。見えないからこそ尊崇《そんすう》するのです。そしてそれは、京都を過大評価することにつながることも少なくないのです。

コロナもそうですね。その姿がまったく目に見えないことで、余計に恐怖を覚えるのです。

なぜ京都のお店は火曜日と水曜日を休むことが多いのか

飲食店をはじめとして、京都の多くの店が火曜日か水曜日を定休日にしている。これには京都のひとの気質が影響している。そんなテーマの記事を興味深く拝読しました。

京都には神社がたくさんある。神さまを崇める習慣が他の土地より強い。火曜日の火を〈か〉、水曜日の水を〈み〉と読み、すなわち火曜日と水曜日は神さまの日だから休む、という解説が書いてありました。

この記事というかニュースを読んだひとのコメントがまた興味深いのです。

——なるほど、そういう理由だったのか。大いに納得した
——さすが京都。神さまをちゃんと休ませるのですね
——京都の神社が火曜日と水曜日に混むのはそういうわけだったのか

などなど、多くのかたが納得されているのです。それらはおおむね、京都以外のひとのコメントです。しかしながら多くの京都人はこれを読んで首をかしげたと思います。

水曜日はともかく、火曜日を定休日にしているお店は、京都ではそれほど多くありません。水曜日と月曜日はたしかにお店を休むところが少なくないのですが、火曜日を休みにするお店と、木曜日を休みにするお店はほぼ同数だと思いますし、どちらかと言えば少数派です。

そして最大の疑問は、火を〈か〉と読み、水を〈み〉と読んで、無理やり〈かみ〉だとしていることです。

陰陽《いんよう》五《ご》行《ぎょう》という思想があり、京都では比較的よく知られていて、風水と並んでその思想を日常に応用することはめずらしくありません。この五行は木火土金水と言われ、〈もくか

どごんすい〉と読みます。詳しいことは省きますが、火は〈か〉であっても、水は〈す〉でなければなりません。つまり五行に倣えば火曜日、水曜日は〈かみ〉ではなく、〈かす〉となるのです。

ときどき、こういう説を唱えるひとが出てきますが、京都を遠巻きにして発言するひとたちに共通する、根拠のないこじつけだと言っていいでしょう。

ちなみに水曜日をお休みにしている飲食店が少なくないのは、中央市場が休みだからです。水曜日の次に多いのは月曜定休。日曜日を営業する店は月曜日に休むことが多いのですが、これは決して京都に限ったことではないと思います。

というわけで、京都のひとが信心深いせいで、火曜と水曜にお店を休む、というようなことは、なんの根拠もないお話です。

それでも、多くのひとたちが納得するのは、京都ならいかにもそういう理由でお店を休みそうだと、と思われているからでしょう。

この、いかにも京都ならありそうだ、というのがまさに、見えざる力なのです。京都という街においては、ないものが、あるように見えてしまうのです。

これが他府県の話なら話題にもならないでしょうし、その意味合いを深く考えることもなかったでしょう。京都ならなにか特別な理由があるはずだ。たとえそれが偶然だったとしても、そう考えさせる力が京都には備わっているのです。

そして近年になるとそれをも超えて、なにかしらの法則を見出そうとしたり、さらにはこじつけたりもします。

なぜそんなことをするかと言えば、それをひとに自慢したいからです。

大阪に詳しい、とか、神戸に詳しい、と言ってもさほど注目されませんが、京都に詳しい、となると自慢できるのです。その表れが京都検定という検定制度です。

京の言葉力

京都を京都たらしめているもののひとつに、京言葉があります。

京ブランドに欠かすことができないのが、京都らしい言葉遣い。耳で聞く看板だとも言えます。

ときどき、京都弁と呼ぶひとがいますが、その時点ですでに京言葉を理解していません。方言に使われる〈弁〉と、京言葉は根本的に成り立ちが違うのです。

古く京都には、御所《ごしょ》という特殊な存在があったことによって、御所の女房言葉《にょうぼうことば》というものが生まれ、それが今の京言葉の原点になっています。
○○弁や方言は、その地方だけの言い回しや訛《なま》りがもとになっているもので、つまりは限られた地域だけで通用する言葉です。これに対して京言葉は、御所という高貴な場所で使われることから、何人《なんぴと》に対しても無礼があってはならず、かつ円滑に事が進むように配慮された言葉遣いです。本来これが日本の基準となるべきもので、言い換えれば世が世なら標準語とされるものなのです。
諸外国もそうなのかもしれませんが、首都が置かれているから東京の言葉遣いが標準語とされているのですから、京に都が置かれていた千年以上ものあいだは、京言葉が標準語だったのです。

関西弁とひとくくりにされがちですが、京都、大阪、奈良、神戸、和歌山など微妙に違いがあるのは九州とよく似ていますね。

御所言葉《ごしょことば》が広がっていくうち、その地方でそれぞれ独自の変化を遂げていったのでしょう。そうなると○○弁という方言になります。いわゆる訛りが出るのが特徴的です。

京都のお隣である大阪弁も、もとははんなりしたやわらかい言葉で、京言葉に近いものだったのですが、時を経てほかの地方の言葉と混ざり合ううち、少々迫力のある物言いに変わってしまいました。

京都弁ではなく、京言葉。なぜそこにこだわるかと言えば、京言葉のなかには京都人の性格や考え方が含まれているからで、京言葉を聞き分けることができれば、京都を理解しやすくなるからです。

「おいでやす」と「おこしやす」の違い

たとえば京都を訪れる観光客の方が、もっとも多く耳にする言葉〈おいでやす〉や〈おこしやす〉にも、ちゃんとした意味が込められていて、かつ、このふたつの言葉には明確な違いがあるのです。

〈おいでやす〉を今の標準語に換えるなら、〈ようこそおいでくださいました〉になり、〈おこしやす〉は、〈ようこそおこしくださいました〉となります。

ふたつともていねいな言葉ですが、前者より後者のほうが、よりていねいな表現ですね。これを京都のひとははっきりと使い分けています。たとえばお料理屋さんの引き戸をがらがらと開けて、お店の女将さんが掛けてくれた言葉。

——おいでやす

予約もせずに、ふらりと入ったときは、こんな言葉を掛けられます。しかし、予約をしていて、約束した時間に訪れたなら、

——おこしやすぅ。ようこそぉ

となるはずです。

前者の〈おいでやす〉は一応ていねいな受け答えですが、形式的な意味合いが濃いものと思われます。ところが後者の場合は、歓迎の意が強く込められています。その表れが小さな母音、〈ぅ〉と〈ぉ〉です。言葉をぷつんと切ってしまわず、小さな母音を付けたすことで余韻を残すわけです。

この〈お　　やす〉は、尊敬の助動詞ですから、ほかにもいろんな場面で使われます。

カウンター席に座り、料理が出てきたところで、手を合わせて箸を取ります。

——いただきます

と、声を掛けた客に、女将さんはこう応えます。

——おあがりやすぅ

あるいはさらにていねいに、

——どうぞ、おあがりやしとぅくれやすぅ

つまり言葉が長くなるほど、気持ちが込められているというのが、京言葉の特徴のひとつです。

そしてその語尾に小さな母音を付け足すことで余韻《よいん》を残し、よりていねいな気持ちを込めていますよ、と相手に伝えるのです。

語尾の「な」が続くと……

京都のひとはこういう言い回しを子どものころからよく耳にし、しぜんとその違いや使い方を覚えていくのです。

たとえば朝。学校へ行く子どもに母親はこう言います。

――おはようおかえり

これは、行ってらっしゃい、という意味です。早く無事に帰ってくるのですよ、という意味を込めています。これが主人に対してだと、

――おはようおかえりやす

となります。行ってらっしゃいませ、という意味です。たとえ主人であっても身内ですか

ら、めったに小さな母音は付け足しません。そして、小さな母音ではなく、〈な〉を付け足すと、がらりと意味合いが変わり、やや命令口調になります。

――はようおかえりやすな

早く帰ってきなさいよ。という意味になります。

食事中に新聞を読んでいて、箸が止まるとこんな声が飛んできます。

――はようお食べやすな。冷めてしまいますがな

語尾に〈な〉が続くと、かなり強いとがめ言葉になります。

ことほど左様に、京言葉というのは、ちょっとした違いで意味が変わったりしますから、よほど聞き慣れていないと、その意が通じないのです。京都のひとは難しい、と思われるのも、多くは京言葉によるものなのかもしれません。

先にも書きましたが、基本的に京言葉は長くなるほどていねいな物言いですから、長い言

葉を使われれば敬われていると思って間違いありません。

たとえば相手の意向を訊ねるとき。身内や目下には、

——どぉえ？

ですが、お店などでお客さんに訊ねるときは、

——どぉどす？

となり、もっとていねいだと、

——どぉどすやろ？　どぉどっしゃろか？　こんなとこでどぉどすやろか？

と、どんどん長くなります。

京言葉は単なる方言ではない、というのはこんなわけがあるからで、そのことを知ってい

ることによって、相手がどう思って接しているかが分かる、というたいせつなツールなのです。

そしてこの京言葉によって、京都らしさというものが強調され、ひとは京都に惹きつけられます。つまり京言葉は京都ブランドのロゴマークのような役割を果たしているのです。

第二章　イケズの本質——京女の言葉力　京男の伊達力

京都人はみんなイケズ

京都人の性格をひと言で言い表すなら？

そんな質問をすれば、きっと多くの方が〈イケズ〉という言葉でお答えになるだろうと思います。ステレオタイプの情報を氾濫《はんらん》させるメディアのせいもあって、京都人＝イケズというイメージは広く深く浸透しているようです。

『大辞林』によると、〈いけず〉とは「①意地の悪いさま。にくたらしいさま。また、その人」と定義されていますが、「(行けず　の意から。関西地方でいう)」という注釈が前段に加えられています。

一般的に〈いけず〉をひらがなで表記すると関西全般でのことを指しますが、これをカタカナで〈イケズ〉と書くと京都人だけを指すような気がします。カタカナで〈イケズ〉と書き表すことで、意地の悪いさま、を強調しているのですね。

それでは関西全般の〈いけず〉と、京都特有の〈イケズ〉に違いはあるのでしょうか。

京都に生まれ育ったぼくには大きな違いはないように思えますが、他の方からは相当な違いがあるように見えているようです。〈イケズ〉にあって〈いけず〉にないもの。それはどうやら、陰湿という言葉で表現されるようです。どことなく〈イジメ〉に通じるものがある。そう思われているのです。

それはまったくの誤解だとも言い切れませんし、かと言ってそのとおりだとも言えないところが、京都人の京都人たる所以《ゆえん》かもしれません。

いっぽうで、日本女性を代表する憧れの的として、京女が褒めそやされることも少なくありません。京都人のおよそ半分は京女のはずですね。

大和なでしこの象徴として称賛される京女と、意地悪で〈イケズ〉な京都人。この矛盾はどこから生じるのかを、少し検証してみたいと思います。

「ええ腕時計」

俗に「東男《あずまおとこ》に京女」と言われます。男はたくましく粋な東男が良く、女はおしとやかで雅な京女がいいとされ、その組み合わせの相性もいいと言われています。

いつごろからこう言われてきたのかは分かりませんが、今の時代にも通用すると思われているようで、テレビのバラエティ番組などでは、しばしば取り上げられる話題です。

京男のひとりとしては、反論のひとつもしたくなりますが、まぁ、それは横に置くとしましょう。

それよりも、本当に京女はしとやかで、雅な存在なのかという話を検証してみたいと思います。

京女をどう定義するか。そこから話を始めないといけませんね。ただ京都に住んでいるというだけで京女とは言わないでしょう。やはり京都に生まれ育った女性でないと京女とは呼ばない。多くの方がそう思っておられることでしょう。

しかしながら、たとえ京都で生まれ育ったとしても、親が外国人だったとすればどうでしょう。人種差別をする気は毛頭ありませんが、親がアメリカ人であったなら、京都で生まれ育っても京女とは呼ばれない気がします。

そのいっぽうでこんな話もあります。ぼくが実際に経験したことです。

今はもう店仕舞いしてしまったのですが、かつて西木屋町《にしきやまち》の一角に、居酒屋さんのような、割烹《かっぽう》のようなお料理屋さんがあって、そこによく足を運んでいました。ご夫婦だけで切り盛りをされていて、ご主人が作る料理はもちろんですが、なにより女将さんのもてなしが気持ちよくて、知人の何人かにも勧めたところ、みんな気に入ってくれました。

その女将さんを評して、典型的な京女だというのがみんなの一致した意見でした。もちろんぼくもそう思っていたのですが、実はその女将さんは京都生まれでも京都育ちでもなく、結婚を機に京都に移り住んできた女性だったのです。

福井県の敦賀《つるが》というところで生まれ育ち、京都に住むようになってからは、まだ三十年も経っていないと聞いて驚きました。

多少苦労したのは京言葉だと話されてましたが、それでも周りに合わせるうち、十年ほどで慣れたということでした。それよりもご主人を含めて京都人と呼ばれる人たちの考えというか、お腹のうちを探るのが一番難しかったと仰《おつしや》ったのが、強く印象に残っています。

たしかに京言葉は、一般的な関西弁とは違って、微妙なイントネーションで意味を使い分けたりする難しさはありますが、一定の法則を理解すれば、あとは自然と慣れ親しんでくるものです。

それに比べて京都人の心情というものはなかなか理解できません。言葉と気持ちにズレがあるのは当然とされているからです。京都人の言葉を額面どおりに受け取ってはいけない。中《あた》らずと雖《いえど》も遠からず、です。

女将さんから聞いたことにこんな話がありました。

結婚してご主人と一緒にお料理屋さんを開き、女将として店に出るようになって三年目のことだったそうです。お店の評判も少しずつ高まり、食通と言われる人たちが東京からも来られるようになりました。ある夜のこと、全国に展開している大手百貨店の重役さんが客としてやってきました。

——見るからに高そうなスーツを着てはってね、いかにもお金持ちやなぁていう感じどした。

食通やて言われてはるだけに緊張しましたわ。注文しはるときに分かったんどすけど、食材のことも料理法のこともようご存じどした。粗相があったらあかんて思うてましたら、めったに愛想を言わん主人が、唐突にこんなことを言いましたんや。

「えらいええ腕時計してはりますな。うちみたいなみすぼらしい店には似合いまへんで」

うちの人は無趣味やさかい、時計の良しあしなんか分かるはずない。ましてや、べんちゃらを言う人でもないし。ちょっと不思議に思うてたんですわ。

それからすぐですわ。いっつもと違う器を使いだしましたんや。

決して高価なもんばっかりやおへんけど、主人もうちも器は好きで、うちの店では気に入った器を夫婦で集めてきて、それを料理に使うてます。主人はいっつも、器次第で料理は映えもするし、台無しにもなるて言うてます。せやのに、そのお客さんには賄いのときに使うような、普段使いのみすぼらしい器に料理を盛って出しはりますねん。

　そのお客さんは、料理には詳しいても、器にはあんまり興味がおへなんだんですやろな。別にそれを気にすることものうて、喜んでお帰りになりました。

　その晩、お店を閉めて掃除してるときに主人に訊きましたんや。なんで時計をほめたんか。なんであんな粗末な器を使うたんか、て。ほしたら主人はこない言いました。

「あんなぶっとい鎖みたいな時計して器を持たれたらかなんがな。ちょっと当たっただけでも陶器は欠けるやろし、漆器は疵《きず》が付きよる。けど、あんなお偉い人に時計を外してくれなことは言えへん。向こうも恥掻かされた思わはるやろさかいな。気付いてくれはったら、と思うたけど、あかんかった。申しわけないと思いながらも、ふだん使いの器を使わせてもろた。粗末な器にクレーム付けはったら、謝らんならん思うてたんやが」

　なるほど、うまいこと言いはるなぁ、て感心しましたんや。褒めてるようで、ほんまは褒めてへんかったんですわ。京都の人の物言いはほんまに勉強になりますえ——

　このエピソードひとつ聞いただけで、京都人が一筋縄ではいかないことがよく分かりますね。ちなみにご主人のほうは四代前から京都に住んでおられるので、生粋の京都人と言ってもいいでしょう。

茶道に通じておられる方や、美術品を扱いなれておられる方ならお気付きでしょう。こういうときに金属製の指輪や腕時計は外すべきだということに。

それをやんわりと指摘したご主人はこうも言っておられたそうです。もしもあのお客さんが腕時計のことに気付いて外さはったら、とっておきの器を使うつもりやった、と。

京女はイケズ？

さて、ここからが本題です。

この店の女将さんが、人から典型的な京女だと思われるようになったのは、こういう経験を重ねてこられたからなのです。

なるほど、京都人というのはこんな物の言い方をするのか。そう学び、身に付けて実践していくうちに京女らしくなってくるのです。

機微《きび》という言葉が一番しっくりなじむかと思います。堅く言えば婉曲《えんきょく》表現でしょうか。

遠回しに言うのが京都人、とりわけ京女の特徴で、それは時としてイケズにも思われるでしょうが、一面ではおしとやかに映るのかもしれません。

男の人から言い寄られても、好きとも嫌いともはっきり言わず、のらりくらりとかわすような、そんな物言いが、京女の魅力を引き立てているように思います。

京女らしさの根源にあるのが、古くから京都人が受け継いできたこうした言い回しなのです。それはしかし、ともすればいやらしくなります。煮え切らない、とも言えますし、じれったい気もします。白黒をはっきり付けないと気が済まないひとにとって、京都人のこうした遠回しな物言いは疎《うと》ましく感じることでしょう。京都人はイケズだという定説のもとになっているかもしれません。

イケズ。いっぽうでそれが奥ゆかしく見えたりするのですから、人間の気持ちというのは人それぞれ、深遠なものですね。

京女の理想像は舞妓はん

先の女将さんのように、別段、京都で生まれ育っていなくても、京女に見えるだけでなく、京女らしい空気を身にまとい、京女らしく振る舞うことはできます。出自や見せかけよりもだいじなのは、京都人としての心遣いから生まれた物言いだからなのです。

その典型的な例が舞妓さんではないでしょうか。

テレビなどを通じて、世のなかの人がイメージする京女にもっとも近いのが舞妓さんだろうと思います。舞妓さんとお座敷で直接接するにはお茶屋さんを通さねばならず、一見《いちげん》さんおことわりというシステムが壁になり、一般人にはなかなか叶いません。

テレビに登場する舞妓さんは、可愛らしくて物腰もやわらかなら、その独特の言葉遣いも長閑《のどか》でつかみどころもないほど、ふわふわしています。たいていの男性なら骨抜きにされてしまいますね。

おしろいの匂いが漂う、まだあどけない舞妓さんに京女の姿を重ねられる方は少なくないと思いますが、ほとんどの舞妓さんは地方出身者だということは、あまり知られていません。

たいていは中学を卒業すると同時に、舞妓修業に入ります。立ち居振る舞いはもちろんのこと、芸事や茶道、華道などを学び、毎日稽古に励みながら、お座敷も務めるようになります。

少し余談になりますが、立派な舞妓さんになるための修業というのは、並大抵のものではありません。僧侶になるためのお寺での修行に匹敵するほど厳しいものです。とりわけ礼儀

街を歩く舞妓さん

作法については徹底的にしつけられます。そのためもあってか、めったに帰省することもありません。親元を離れてから三年、四年ということもめずらしいことではなく、どれほど里心が芽生えてもぐっと我慢するのが、舞妓修業の一環なのですね。

そうしたなかで先の女将さんとおなじように、京言葉だけでなく物言いも身に付けていくのです。

つまりは京都という風土が、京女を育てているということなのです。もちろんそのもとになっているのはＤＮＡとも呼ぶべき京都人気質であり、それに染まっていくからではありますが。

かくして花街の舞妓さんは、その艶《あで》やかな衣装も相まって、京女の理想像として憧れの的となりました。

いつもにこやかで、襟元のおしろいと赤いおちょぼ口がトレードマーク。だらりの帯を背にぽっくり下駄を鳴らしながら歩く姿には、誰もが見とれてしまいますね。

初々しくもあどけない顔立ちと艶やかな姿が、微妙なバランスを保っていることで、舞妓さんは佳《よ》き京女として人々の目に映るのです。

しかしながら舞妓という名称は、芸妓になるための修業期間中限定だということは、つい忘れがちです。おおむね二十歳を過ぎると舞妓は卒業ということになり、芸妓という名に変わります。

舞妓と芸妓は見た目にも異なります。舞妓さんは地毛《じげ》を結い上げ、その時々に応じたかんざしを挿して華やぎを演出します。いっぽうで芸妓さんは飾り気のないかつらをかぶり、黒や無地の地味な着物を着ています。

さらには言葉遣いも微妙に変わります。舞妓さんのように可愛いだけではなく、時にはビシッと言うべきことも言うようになるのが芸妓さんです。

京都の一般の女性はどんな人？

今では花街に足を踏み入れる機会はめったにありませんが、以前は友人知人たちと祇園町《ぎおんまち》にも足を運びました。いわゆるお座敷遊びではなく、お茶屋バーと呼ばれるようなお店で、芸妓さんにもてなしてもらうのですが、典型的な京女像とはかなり違ったものでした。

一見客にはやわらかな物腰で接していても、なじみのお客さんが相手となれば、時には辛辣《しんらつ》な言葉も口をついて出ます。もちろんそれはユーモアの一端ではあるのですが、舞妓さんの物言いとはまったくと言っていいほど異なります。一本筋が通っていることはたしかですが、その筋が絹糸ではなく針金のこともありますので。

そうなってくると、芸妓さんは憧れの京女とは言えなくなるかもしれません。やはり京女の理想像は舞妓さんにあるのでしょうね。

では、花街の女性たちやお店の女将さんなどと比べて、京都で暮らしている一般の女性はどうでしょう。残念ながら多くの方が抱いておられるような、おしとやかな京女とは違っているのが現実です。

大阪のオバチャンのように、あからさまではありませんが、それでもズケズケと物を言いますし、言葉がとがっていることも少なくありません。イメージどおりの京女を街なかで見つけることは難しいような気がします。それでも世間的に京女のうけがいいのは間違いありません。

イケズの典型は京男

いっぽうで京男については、あまり褒めてもらえませんね。

京女とおなじような京言葉を使っても、野暮ったく感じられてしまいがちです。物言いもしかり。ただの優柔不断でイケズなだけ、というふうに思われてしまいます。

ところがそうではありません。先のお店のご主人の話を思い出していただければ、すぐお分かりいただけるだろうと思いますが、京言葉をあやつり、言いたいことを主張しながら相手を傷つけないようにする心配りには、実は京男のほうが長《た》けているのです。ただ、それを京男が言うと単なるイケズと取られ、京女だとおしとやかに思われるだけの違いなのです。難しいものですね。

つまり〈イケズ〉な京都人というのは、どうやら京都の男性に付けられたイメージのようなのです。それはさまざまなメディアによるアナウンス効果だ、というのがぼくの見解です。

食などを通じて、日本各地の県民性をおもしろおかしく比較するテレビ番組があり、そこでしばしば揶揄《やゆ》されるのが、イケズな京都人です。口調はやわらかいが京都人の腹の内は黒い。本音を言わず他府県の人たちを冷たくあしらう。排他的でプライドが高いのが京都人の特徴だというのが通説になっています。

旧聞に属しますが、京都がきらいだという本が大ヒットしました。きっと共感する方が多くおられたのでしょう。ふだん自分たちが感じていることを代弁してくれたとばかりに、溜飲《りゅういん》を下げたというのが、ヒットの所以だっただろうと思います。

人を見下してバカにするのが京都人の愉しみだと言わんばかりに、著者が経験してきたという数々のエピソードを披露します。

実名を挙げて、あの人にこんなふうに言われて傷ついた。彼《か》の人にもさんざんいじめられた。そんな話がたくさん書いてあるのですが、名前を挙げられた方はほとんどが京都の男性なのです。

それも、たいていが高名な方たちですから、読者は容易にその様子を思い浮かべることができるのです。そしてあたかも、自分もおなじ経験をしたような気になってしまいます。なんと京都人というのはイヤラシイ人種なのだろう。そう思い込んでしまっても無理はありません。

京都に生まれ育って七十年近くになる立場から言えば、あの本に書かれていたことのなかで、的を射ていたのはざっと三分の一ほどでしょうか。いや、もう少し少ないかもしれません。くだんの新書で実名を挙げて書かれていた方たちは、ほとんどすべて鬼籍《きせき》に入ってしまわれているので、事の真偽をたしかめられないのが残念です。

テレビのバラエティ番組とおなじで、新書というのもエンターテインメントとしての役割をも担っていますから、針小棒大という言葉があるように、誇張して書くことはやむを得ないのでしょうが、それにしても首をかしげることが少なくありませんでした。

ひとつたしかなのは、この本がベストセラーになることで、京都人＝〈イケズ〉というイメージは完全に定着してしまったということでしょう。

京都府民のイケズな性格

それが客観的事実かどうかは、さほど重要な問題ではない、というのが今の世のなかの風潮です。真偽はともかく話題性があればいいのです。県民性をパターン化することでバラエティ番組が作られ、ある程度の視聴率が取れるのですから、この傾向は強まるいっぽうです。

話は少し〈イケズ〉からそれますが、県民性をバラエティ化した番組で、しばしば取り上げられるのが、その地方独特の食習慣です。

他の地方にはない食習慣や料理を見せて、この地方では当然のごとく存在していると、地元の人間に語らせます。

――えー？　他の地方ではこれは食べないの？　本当に？

と疑問を投げかけさせるのもお決まりのシーンになっています。

地元の人間がそう言うのだから本当のことなのだろう。多くの視聴者は納得し、確信に至ります。

ところが、ネットなどではこれに疑問を投げる投稿もよくあります。

――おなじ地元人だがそんな話は聞いたことがないし、もちろん食べたこともない

たしかにそういうケースはよくあるようです。ぼくも京都編を見ていて、何度か首をかし

げることがありましたから。

そんな料理食べたことないなぁ、と。

これも再三述べていることと本質はおなじです。ごく一部の事象を、さもそれが大勢であるかのように喧伝《けんでん》するのです。つまり嘘ではないのです。嘘ではありませんが、それはごく一部のことであって、代表的なものではないということになります。

ではなぜ、そんなごく一部のことを大勢のように見せかけるかと言えば、それが多くの興味を引くからなのです。言い換えれば、おもしろがってくれるからです。

京のぶぶ漬け伝説

ご存じの方も多いかと思いますが、これまでに書いてきたことを象徴するようなお話があります。俗に〈京のぶぶ漬け伝説〉と言われているのがそれです。あらましをお話ししましょう。

たとえば最近になって京都に引っ越してきたとしましょう。ご挨拶にと近所に住む知人のお宅へ伺います。話し込んでいるうちに、お昼が近くなってきました。すると知人はこう切り出します。

――なんにもおへんのやけど、よかったらぶぶ漬けでもどうどす？

ちょうどお腹が空いてきたことだし、京都のお茶漬けも食べてみたい。そう思って誘いに応じ、上がり込みました。

ところが、いつまで経ってもお茶漬けが出てくる気配はありません。いったいどういうことなのか。さっきの話は聞き間違いだったのか、と不安になってきました。

やっぱり自分の勘違いだったのかと思い、帰ろうとしますが知人はそれを止めようとはしません。

――ごめんなぁ、段取りが悪いもんやさかい、お昼に間に合わへんようになってしもたわ。いっつも手際が悪い言うて主人にも怒られてますねん。今度はちゃんと用意しとくさかい、かんにんしとぅくれやっしゃ

聞き慣れない京言葉ですが、なんとなく意味は通じました。そういうことだったのかと、

また納得して知人宅を後にしました。

はて、これはどう解釈すればいいのでしょうか。と問いかけておいて、実はこれは京都人の性格を端的に表す例なのだと続くのが、ステレオタイプのメディアの常とう手段です。

いつまでも帰ってくれない来客に困った京都人は、早く帰ってくれ、と言う代わりに、ぶぶ漬けでもどうですか、と言うのだとメディアは解説を加えます。おなじ京都人なら〈ぶぶ漬け〉という言葉が帰宅をうながす合図だと知っているので、阿吽《あうん》の呼吸で帰っていく、というふうに説明します。これを知らないよそ者は、ぶぶ漬けでも、という言葉を真に受けて京都人を困らせるのだと言い、これをして、京都人は底意地の悪い〈イケズ〉だと結論づけるのです。

これを俗に京の〈ぶぶ漬け伝説〉と言いますが、おそらくこの話のもととなったのは上方《かみがた》落語の〈京の茶漬け〉という演目だろうと思います。

人間国宝に認定された三代目桂米朝さんの落語を聞いたことがありますが、笑い転げる、というより、ニヤリとさせられるシニカルな落語です。あらすじはこんなふうです。

主人公となる浪花《なにわ》男は、京都では帰宅をうながすのに、お茶漬けでもどうですか?と言うのだと聞いて、その茶漬けを食べてやろうとたくらみます。

知人宅を訪ね、知人が留守だと聞いても上がり込んで帰宅を待つことにします。知人の妻にそれとなく食べ物の話をし、なんとかして、お茶漬けでもどうですか？　という言葉を引き出そうとします。察しのいい知人の妻はのらりくらりとかわしますが、ついうっかりと言葉に出してしまいました。

仕方なく知人の妻はお茶漬けを男に出します。

してやったりとばかりに浪花男は、残り物の冷や飯を使ったお茶漬けと漬物を食べ、過剰なまでに褒めそやします。もちろんそれは、ごちそうとは程遠い、粗末なお茶漬けで、客人に出すようなものではありません。浪花男としては京都人に一矢《いっし》報いたというか、恥をかかせてやったと喜び勇み、さらに困らせようとして暗にお代わりをせがんでいるのです。

ここぞとばかりに攻める浪花男は、ついに茶漬けの茶碗まで褒めはじめ、京土産として買って帰りたいから、どこの店で買ったかを教えてくれと妻に言います。

一計を案じた妻は、空になった飯櫃《めしびつ》を見せて、近所の荒物屋でこれと一緒に買ったものだと答えました。さすがに空のお櫃を見せられたのでは、お代わりを所望できません。浪花男は最後にぎゃふんと言わされた、というオチです。

この落語はずいぶんと人気になったようで、この噺《はなし》とともに〈京のぶぶ漬け伝説〉が徐々に広まっていったのだろうと思います。

それほどによく知られている話なのですが、七十年近く京都に住んでいて、こういうケースに出会ったことは一度もありませんし、京都に住む友人知人らも口を揃えて、そんな場面に出会ったことはないと言います。

たしかに京都人は遠回しに言うことを得意としています。どれほど困ったとしても、直接的に帰宅をうながすような表現は使いません。それはしかし、意地悪なのではなく、相手を傷つけないための気遣いなのです。帰って欲しい、とダイレクトに言えば、相手は気付かずに申しわけなかったと謝らねばなりません。そうならないための方便を使うのですが、お茶漬けを持ち出すような無粋なことをしないのが、本当の京都人です。

おなじようなケースだとしましょう。

知人宅を訪ねて、少し長居してしまいました。そのとき、知人がポンと手を打ちます。

――そや、だいじなこと忘れてた。頼まれごとがあったんや。ちょっと出かけるさかい、よかったらここで待っててくれるか？

そう言われたからといって、本当に待つ人などいないでしょう。もちろん知人の言ったことが作り話だったとしても、です。

わざわざお茶漬けなど持ち出さなくても、さりげなく辞去をうながす術《すべ》をいくつか用意しているのが本当の京都人なのです。

まぁ、でも話としては〈ぶぶ漬け〉のほうがおもしろいかもしれませんね。

かくして、京都人＝イケズ説は多くの認めるところとなったわけですが、その本質はどこにあるかと言えば、いくつかの例を挙げたとおり、京都人の婉曲表現にあるのです。

ダイレクトに言わないのは腹が黒い、というわけです。

京のお茶伝説

そして、京都人＝イケズという図式は、さらなる広がりを見せていきます。

繰り返しになりますが、京都の〈伝説〉の多くは、各地の県民性をおもしろおかしく紹介する、テレビの人気番組がもとになっています。

狭いようで広いのが日本という国。自分たちは当たり前だと思っている常識が、その地方だけの習慣で、他府県の人にはまったく知られていない。そんな事柄を紹介するバラエティ番組ですが、ここで頻繁に登場するのが京都なのです。京都編はよほど視聴率がいいのでしょう。何度も何度も京都の話が出てきます。

そしてその内容はと言えば、ほとんどが京都人＝イケズにつながる話なのですが、エスカレートするいっぽうなのです。

先に挙げた〈ぶぶ漬け伝説〉からさらに一歩踏み込んで、〈お茶伝説〉まで取り上げていました。

京都人の家を訪ねていて、「お茶飲んでいかれますか?」と言われたら、それは「もう帰ってください」という意味なのだと言うのです。そんなエピソードを紹介したあと、街頭インタビューでそれをたしかめます。するとなぜか全員がそれを認めてしまうのです。付け加えて「そんなん京都では常識や」とまで言わせます。

そのあとはスタジオに設営されたひな壇に居並ぶ京都出身というタレントたちに、おなじ質問をぶつけます。すると、さも当然だとばかりに自分の経験談を披瀝《ひれき》し、この「お茶飲んでいかれますか?」＝「もう帰ってください」説は事実として決めつけられてしまうのです。

では本当のところはどうなのでしょう。

そんなことあり得るはずがないのです。百人が百人、真っ当な京都人に訊けばそう答えるに違いありません。ほかの地方でもおなじかもしれませんが、まず「お茶飲んでいかれますか？」と訊《たず》ねることからしてありません。訊くまでもなくお茶を出すのがふつうでしょう。

これを仕事先に置き換えれば、容易に分かるでしょう。打ち合わせかなにかの用事があって、先方の会社を訪ねたとしましょう。応接室か会議室か、しかるべき部屋に案内されれば、まずは黙ってお茶が出てきますよね。受付の人か秘書の人かが、「お茶飲んでいかれますか？」なんて、無礼極まりないことを訊ねるわけがありません。家だっておなじです。

茶道の言葉に〈喫茶去《きっさこ》〉があります。まぁ、お茶でも飲んでいきなさいな。そんな意味の言葉をむかしから実践しているのが京都人なのです。

関西人を見下す京都人？

きっと京都人を揶揄する場面は瞬間視聴率も高いのでしょう。番組はどんどん過激になっていきます。

「京都の人はほかの関西圏の人に、生まれたところを恨んでくださいと言う」

これもまた、ひな壇に並ぶタレントたちは当然だとばかりに、皮肉っぽい笑いを浮かべます。京都人はプライドが高く、おなじ関西圏の人たちを見下している。そう印象づけたいのでしょう。

おなじ関西とひと口に言っても、大阪や神戸、奈良などとは、微妙に言葉遣いも違いますし、性格も異なるのは間違いありません。しかしながら京都人のすべてが、他の地方をバカにしたりするわけはありません。

視聴率さえ上がれば、多少の誇張やヤラセがあっても仕方がないとしても、明らかに度を越していることに、良識ある京都の人たちは憤慨しはじめています。なぜなら差別意識につながりかねないからです。

似たような番組は他にもありますが、この番組の京都嘲笑は突出しています。なぜここまでひどくなったのでしょう。

京都私怨

あくまで推論に過ぎませんが、番組を作っている人たちに私怨《しえん》があるのではないかと思っています。

テレビだけでなく、雑誌を作っている人たちからも、京都取材の難しさはよく聞かされます。お店の取材をするのに、ふつうなら喜んで協力してくれるのに、京都のお店はたいてい非協力的だというのです。

それはたしかに実感として分かります。ふつうは取材＝宣伝と考え、お金を出さずにお店のＰＲをしてくれるなら、と協力してくれるはずが、京都のお店はそうはならないことが多いのです。

なぜかと言えば、〈一見さんおことわり〉という言葉に相通じるものがあり、常連客に迷惑を掛けたくないという思いからなのですが。

メディアに登場すると、お客さんは一気に増えます。雑誌はそれほどでもありませんが、テレビの威力は絶大なものがあり、テレビで紹介されるや否や、お客さんが殺到することは少なくありません。となると、当然ながらふだんからその店に行きつけている客は店に入れなくなってしまいます。

困ったことに、テレビで紹介されたことで訪れる客はほぼ一過性です。つまり放映直後に押し寄せた客たちは、潮が引くようにすぐにいなくなります。いったん遠のいてしまった常連客も、そうそう簡単に戻ってきてはくれません。そんな事例を間近に見てきた人たちは、テレビ取材に慎重になるわけです。

いっぽうで、すべてとは言いませんが、テレビを作っている側の人たちには、取材を通して、店の宣伝をしてやっているという、恩に着せる気持ちが少なからずあるのです。ここで気持ちがすれ違ってしまいます。

――せっかく店の宣伝をしてあげようと思っているのに、なぜ迷惑そうにするのだ

ふだん東京や地方の店への取材をし慣れている制作スタッフはそう思います。

――テレビに出たらあとが大変なんや。ようけのお客はんがいっぺんに押し寄せて、常連さんは離れていくし、それもいっときの嵐でしかないんや

片や京都の店の人はそう思うわけで、いきおい制作スタッフに対してもぞんざいになってしまいます。

イケズをされたと思い込んだスタッフは、番組のなかで京都人をあざけり笑うことで、溜飲を下げているのだろうと推察しています。

こうして、京都人＝イケズは、伝説から定説になっていったのです。その大きな役割を果たしたのが、〈期待〉という心理です。

先の〈ぶぶ漬け伝説〉を筆頭に、「京都人はこんなにイケズ」という説を検証するふりをしながら、実は端から結論は出ていて、街頭インタビューやスタジオにいる京都出身者を使って、「ほら、やっぱりそうでしょ」と持っていくのです。そしてそれは視聴者の期待どおりでもあるわけです。

もしも逆の答えが出たら、きっと視聴者は落胆するでしょう。「なんだ、おもしろくない」となり、次からは見てもらえなくなるかもしれません。これはかつて隆盛を誇った時代劇とおなじパターンなのです。

水戸の黄門さまや、遠山の金さんなどを見ていると、悪人がはっきり分かります。極悪非道な振る舞いを続けるのですが、番組の最後になって懲《こ》らしめられ、そこで視聴者は溜飲を下げます。県民性を紹介するバラエティ番組は、これとよく似たパターンなのです。

と、ここまでお読みになってきて、不思議に思われませんか？

実際にはそこまでイケズではないのに、極端なまでに誇張され、嘲笑されているのに、京都人の反論などめったに聞こえてきません。たまにぼくなどは拙著でそれを否定する持論を展開しますが、それも稀《まれ》なことでしょう。

テレビだけでなく、ベストセラーとなった、京都がきらいだと公言した新書に対しても、表立ってそれに反論する京都人はまったく現れませんでした。

京都人は容易《たやす》く屈服する性格なのでしょうか。あるいはそれを認めてしまったのでしょうか。

答えはＮＯ！です。そのどちらでもありません。

実はこれこそが京都力なのです。

一見さんおことわりの本質

京都＝イケズを象徴する言葉に〈一見さんおことわり〉があります。

「京都観光をしていて、祇園の和食屋さんへ入ったら〈一見さんおことわり〉と言われ、追い出されてしまった」

テレビのインタビューに答えて、そんな話をする人がいました。インタビュアーは、さもありなん、とばかりに、「京都は敷居が高いですからね」と相槌《あいづち》を打っていました。報道に携わる人でも〈敷居が高い〉という言葉を間違って使う人がいるのだと呆れたものですが、はたしてこれは事実なのだろうかと、いぶかってしまうのが、多くの京都人です。

誤解されていることが多いのですが、京都の街なかにある、ふつうのお店で〈一見さんおことわり〉を謳《うた》っているところはめったにありません。

基本的には花街のお茶屋さんだけです。もしくはそれに付随するお茶屋バーや、クラブなどのお酒を飲む店ぐらいでしょうか。しかし後者に限って言えば、それはなにも京都に限ったことではなく、銀座や大阪の新地などでもおなじはずです。会員制という札を玄関先に貼って、一見客を断る夜の店は、京都のみならず全国各地にあります。しかしそれを、イケズと呼ぶ人はいないと思います。おなじシステムを取っても、なぜ京都だけがイケズと言われるのでしょうか。

飲食店に至るまでそう思われるのには、大きな理由があります。それは外観から来る、閉ざされた空間というイメージだろうと思います。

いかにも〈一見さんおことわり〉っぽい店の構えに、初見の客は最初から臆しているせいで、そう思い込んでしまうのです。

たしかに、予約もせずにいきなり飛び込んで、断られるケースもあると思います。たとえ空席があっても、満席だと言って断られることもあるでしょうし、準備不足で断られることもあるでしょう。しかしながらお客さんの側は、一見客だから断られたと思い込んでしまうのです。でも、断られる理由はほかにあるのです。そのもっとも大きな理由は、満足のいくもてなしができないから、です。

端《はな》から観光客を相手にしているお店は別として、むかしながらの商いを続けている京都の料理屋さんは、おなじみさんを主な客として料理を作っています。ですから客の好き嫌いや嗜好を熟知しているのです。

そんななかで見ず知らずのお客さんがいきなり訪ねてこられても、どんな料理をどう味付けして出せばいいのか戸惑うのです。決して意地悪をして断っているのではないのですが、これもイケズの一端として映るのかもしれませんね。

繰り返しになりますが、今の時代になっても京都で〈一見さんおことわり〉を貫いているのは、花街のお茶屋さんだけだろうと思います。そして他府県や諸外国からお越しになるお客さんにとって、一度は体験したいのがお茶屋遊びですね。

つまり、京都において最大の憧れであるお茶屋さんが〈一見さんおことわり〉ゆえ、京都ぜんたいがそうなのかと思われ、その根源にあるのが京の〈イケズ〉、という図式なのでしょう。

花街のお茶屋さんが〈一見さんおことわり〉にしている理由。それは実にシンプルなもので、信用第一だからです。信頼のおける客だけを相手にして商いをしているからです。なぜかと言えば、お茶屋遊びというものは基本的にキャッシュレス、それも後払いになっていますから、支払いの確約が取れない一見客はお茶屋さんにとって、大きなリスクを背負うことになるからです。

お茶屋さんで宴《えん》を張る。それに掛かる費用としては、飲食代、芸妓舞妓さんたちの花代、席料、タクシー代、手土産代などでしょうか。場合によっては後席のお茶屋バーなどでの費用も含まれます。これらすべてをお茶屋さんが立て替えて支払うのです。どんなに大人数になってもおなじ。その場で現金をやり取りするなどという無粋なことは一切しません。後日、請求書が届き、それを支払いに行くか金融機関から振り込むかします。もちろんお茶屋さんは支払い期限を定めるような野暮なこともしません。しかし信用第一ですから、客の側は遅滞なく支払います。

こうして互いの信頼関係を築いていくことで、お茶屋さんという店は成り立っているのですから、一見客を受け入れないのは当然のことだとお分かりいただけたかと思います。

いっぽうで今の時代、ふつうの飲食店はクレジットカード、もしくは現金払いが基本ですから、経営的観点から見れば一見客を遠ざける理由がありません。それでも〈一見さんおことわり〉と思われてしまうのは、先に挙げた理由からです。

あるいは、かつての料理屋さんのなかには、お茶屋さんとおなじく、掛け売り的なシステムを採用しているところもあった、その名残かもしれません。

イケズイメージを利用する京都人

京都人はこんなにイケズな人たちだ。そんな話をどんどん拡散され、誇張されて、さぞや京都人たちは迷惑顔をしているだろうと思いきや、実はそんなことはまったくありません。そのイメージをうまく逆利用しているのです。

今はもう鬼籍に入られましたが、無頼派として知られていた個性の強い役者さんが、とある雑誌のインタビューに答えておられたのが、強く印象に残っています。

いかにも悪人といったふうな顔付きに親が産んでくれたことを感謝している、と書いてありました。そのおかげもあって、悪人の役を与えられ続け、仕事が途切れることがなかったのだそうです。たしかにテレビのサスペンスドラマなどで、この役者さんが出てくると、きっとこの人が犯人だろうなと思ってしまうほどでした。

それは役柄だと分かっていても、人間の心理というのは不思議なもので、きっと私生活でも強面《こわもて》の人だろうと思っていました。

みんながそう思っているから、楽に生きられるとおっしゃっていました。みんなから善人だと思われていると、少しはずれたことをしただけで糾弾《きゅうだん》されるが、自分のように悪人だと思われていると、少々のことでは後ろ指を指されることもない。むしろ、ふつうの行いをしても、いい人だと褒められてしまう（笑）とありました。

なんとなく分かる気がしますね。そして、実は京都人もこれとおなじようなものなのです。

どんなイケズをされるのかと身構えていたら、意外なほどやさしく応対された。

こんな声もよく聞きます。特別になにかをしたわけではなく、至極ふつうに応対しただけで、好感を持たれてしまうのです。

イケズという呼称は、ある意味でヒール役を演じる京都人に与えられたものなのだろうと推測しています。

第三章　京のイメージ力——京都はイメージでできている

1．便乗力

第一章でも書きましたように、京都という街はイメージでできているんだなぁと、いつも思います。

実体のないところから、いつの間にか物が生まれて育っていくのです。

経済学だとかマーケティングなんていう言葉にはめっぽう疎いので、京都商法という言葉を使って、数字を駆使して分析したりはできませんが、なんとなく京都のひとは商売がじょうずだなと思います。そして京都のひとに限らず、京都という街で商売をするひとは、たいていがじょうずな商いをしています。京都のイメージにうまく乗っかるのです。

ここまで京都人の性格を分析してきましたが、ここからは京都人の得意技をご紹介することにしましょう。なぜ京都に人気が集まるのか。その秘密の一端を覗いてみることにします。まず最初は便乗力です。

便乗力などという日本語はありません。ぼくの造語です。

便乗商法という言葉をよく耳にしますが、決して褒め言葉ではありませんね。ちゃっかり、とか、ずるがしこいというふうな副詞や形容詞が付きますから、それを力ととらえることは、ふつうにはあり得ないでしょう。

でも、京都という街の持つ魅力をたどっていくと、うまく便乗しているなぁと、感心することがよくあるのです。なのでこれを、京の便乗力と名付けることにしました。

その便乗力がもっとも顕著に表れるのが食です。

京都観光にお越しになる方々の多くが、食を目的とされています。寺社仏閣の参拝や見学と美味しいものを食べることがセットになっています。

京都にはこんな美味しいものがある。雑誌やテレビが盛んにそう喧伝しますから、期待に胸を膨らませて京都へお越しになるのです。そしてその目的は京名物。京都ならではの食がお目当てなのですが、そのうちのいくつかは便乗力によって京名物になったと言えば、驚かれるでしょうか。

京のタマゴ料理人気

なにどんなふうに便乗するのか。その一例を挙げてみることにします。ご存じない方もおられるかもしれませんが、知っている人は知っている、出汁《だし》巻きサンドがその典型なのです。

近年人気急上昇中の出汁巻きサンドとは、文字どおり出汁巻きをパンにはさんだサンドイッチです。デパートの物産展などで見かけられたこともあるかと思いますが、ここ一、二年のあいだにできた新商品です。決してむかしからあった食ではないのですが、今や京名物としてしっかり認知されています。

この出汁巻きサンドこそが、数年来の玉子料理ブームに便乗して作られた商品で、便乗力の典型なのです。

玉子料理が京都の名物と言われるようになったきっかけは親子丼でした。それは今から三十年近く前のことになるでしょうか。今ではめずらしくない光景になりましたが、そのころの京都では、飲食店の前に行列ができることなどありませんでした。食べ物のために並ぶなどという行為は品がない。京都人の多くがそう思っていたからです。もちろん今もそれは変わっていません。何軒かの食べ物屋さんに長い行列ができていますが、そのほとんどは他府県や外国からお越しになった観光客の方たちで、京都で生まれ育った人たちはおられないだろうと思います。

それはさておき、祇園下河原《しもがわら》にあるお店は麺類丼物全般をメニューに載せていましたが、親子丼目当てのお客さんばかりになってしまい、それ以降、親子丼が京名物のひとつとして数えられるようになったのです。

やがて祇園の縄手《なわて》新橋《しんばし》や、西陣のお店などにも行列ができるようになりました。行列ブームのさきがけですね。

言うまでもなく、親子丼と言えば玉子と鶏肉でできていますが、日本中どこででも食べられる料理なのに、京名物とされるに至ったのは、淡い出汁が効いているからだろうと思います。

京料理の要とも言える出汁があったからこそ、親子丼が京名物となったのですが、おなじく出汁が効いた玉子料理と言えば、出汁巻き玉子を忘れるわけにはいきません。

季節のお弁当をはじめとして、プロの料理人が作る出汁巻き玉子は、親子丼よりずっと前から京名物として親しまれてきました。その代表とも言えるのが錦市場にある『三木鶏卵』というお店の出汁巻きです。

今のように観光客が押し寄せる前の錦市場は、京の台所と呼ばれていたように、京都人御用達として重宝されていました。新鮮な魚介類や野菜など、ふだんより少し贅沢な食材を買い求める傍ら、プロが作るお惣菜も人気を集めていて、その代表的な存在が『三木鶏卵』の出汁巻き玉子だったのです。

東京の玉子焼きは江戸のころから甘く味付けてありますが、京の玉子焼きは出汁を効かせてあって、甘みは感じられません。そのほうが玉子そのものの美味しさを感じることができるように思います。

おそらく親子丼はそこから派生したのでしょうが、もうひとつおなじ流れから人気を呼ぶようになったのがタマゴサンドです。

コンビニなどで見かけるような、タマゴサラダをはさんだものではなく、出汁巻きを思わせるような、ふんわりしたオムレツをはさんだものが、京都のタマゴサンドなのです。

もっともポピュラーなのは『志津屋《しづや》』のタマゴサンドです。今のようなパンブームが起こるはるか以前から、京都人にもっとも親しまれていたのが『志津屋』のパンです。市内のあちこちに支店や売店があり、手ごろな価格も相まって、老若男女を問わず誰からも愛されるパンとして知られた存在です。

その『志津屋』を代表する商品が〈カルネ〉という惣菜パンと、タマゴサンドやカツサンドなどのサンドイッチです。〈カルネ〉というのはハムとタマネギをはさんだハードタイプのパンで、京都人のソウルフードとしてテレビで紹介されてから人気に火が点《つ》いたものです。

もうひとつの『志津屋』名物であるカツサンドにも京都ならではの特徴があって、トンカツではなくビフカツなのです。牛肉好き京都人の一面が見てとれます。

そしてタマゴサンド。これもむかしから当たり前のように売られている、京都らしさ満点のサンドイッチです。ふんわりオムレツは前述したように出汁巻き玉子を彷彿《ほうふつ》させ、京都の洋食屋さんでも、これをメニューに載せている店は少なくありませんでした。洋食屋さんですからオムレツはお手のものですね。

今はもう店仕舞いしてしまったのですが、木屋町四条に『コロナ』という老舗《しにせ》洋食店があり、その店の名物がタマゴサンドでした。齢《よわい》九十を超えてもなおかくしゃくとした姿で洋食を作るシェフの存在もあり、観光客というより地元民に親しまれる洋食屋さんとして知られていたのです。

『コロナ』のタマゴサンドは、はみ出しそうな分厚いオムレツが特徴で、口いっぱいに頬張ると誰もが笑顔になるものでした。

高齢により惜しまれつつ店仕舞いしたあとも、あのタマゴサンドをもう一度食べたいという声は絶えませんでした。それからしばらく経ったころ、『マドラグ』という喫茶店が中京

『マドラグ』のタマゴサンド

区にオープンし、『コロナ』とおなじレシピで作ったというタマゴサンドを名物として売り出したのです。

そのタマゴサンドは、以前からの『コロナ』ファンだけでなく、若い観光客にも人気を呼ぶようになりました。それをメディアが取り上げるに至って人気が爆発しました。

『マドラグ』は行列の絶えない人気店となり、親子丼とおなじく、タマゴサンドも京都の名物グルメになりました。

と、ここまではよくあるグルメストーリーですが、ここからさらに一歩進めるところが、京都の便乗力なのです。

タマゴサンドから出汁巻き玉子サンドへ

タマゴサンドが新たな京名物として脚光を浴びている。そして古くから出汁巻き玉子は京名物として根強い人気がある。ならば出汁巻き玉子をサンドイッチの具にしてしまおう。そうして生まれたのが、出汁巻きサンド。タマゴサンドブームに便乗した新商品は、またたく間に人気となり、和食屋さんやパン屋さん、洋食屋さんまでもが参入し、今では多くの京都の店で出汁巻きサンドを食べられるようになりました。

そして当然のようにメディアがこれを取り上げるようになるのですが、この出汁巻きサンドを新商品に見せないところが京都力なのです。

あたかも以前からあったような錯覚を与え、古くから京都人に慣れ親しまれていた食のように見せてしまうのが、京都の京都たる所以なのです。

ここで思い出していただきたいのは、第一章で書いた〈見えざる力〉です。見えないのに見えているようなイメージを作り上げることで、京都は人を集めてきた。それとおなじように、なかったものを、あったように見せることで、またたく間に京名物ができ上がるのです。

その際にしばしば応用されるのが便乗力というわけです。タマゴサンドがブームになるや否や、すぐそれに便乗して出汁巻きサンドを京名物に仕立て上げる。実にみごとな手口です。

近年盛んになってきたご当地グルメに苦労を重ねている地方から見れば、きっとうらやましく感じられることでしょう。飲食業者さんたちがあれこれ知恵を絞り、ようやく生み出したとしても、よほどの魅力や話題性がなければメディアも取り上げてくれませんし、空砲に終わってしまいます。

それが京都だと次々にヒット商品になるのはなぜかと言えば、この便乗力があるからだと言っても過言ではありません。地方がそれに倣おうとしても、残念ながら便乗するものがないのですね。つまり京都は便乗するものが古くからたくさんあるので、容易に便乗力を発揮できるのです。

もう少し例を挙げてみましょう。最近の京土産でもっともヒットしているのは抹茶《まっちゃ》スイーツですが、これもまた便乗力の賜物と言っていいのです。

抹茶スイーツが人気になった理由

京都駅やデパ地下などの土産物店を見れば、店中が緑色に染まっているのではないかと思うほど、みごとに抹茶や緑茶を使ったお菓子があふれています。お土産を物色している観客にとって、京土産としてまず頭に浮かぶのが抹茶スイーツなのだそうです。

今でこそ定番として、絶大な人気を誇る抹茶スイーツですが、その歴史はさほど古いものではありません。少なくともぼくが子どものころには、めったに見かけませんでした。抹茶は飲むものであって、それをお菓子に使うのは、ちょっとした変化球であって、定番になるなどとは予想もしていませんでした。

基本的に和菓子というものは、お茶と一緒に愉しむものです。お茶席がその典型ですが、先に甘いお菓子をいただき、口のなかの空気を和らげておいてから、抹茶で引き締める。この緩急を愉しむのが抹茶の醍醐味なのです。そう考えれば抹茶スイーツなるお菓子は、抹茶そのものとカブってしまいますから、和菓子としては異端児に思えます。

抹茶に限らず、日本ではお茶を飲むことが一般的ですが、外国だとコーヒーか紅茶になりますね。ところが、コーヒーや紅茶と一緒に愉しむスイーツに、コーヒーや紅茶を使うことはあまり一般的ではありません。もちろんそういうスイーツもあるにはあるでしょうが、京都の抹茶スイーツのように、人気が集中するようなことはありません。

なぜお茶なのに京都の抹茶だけがスイーツに使われ、人気を呼ぶようになったのでしょう。

一にも二にも、抹茶を飲む機会が激減したからだろうと思います。もしもむかしのように日常的に抹茶を飲んでいたなら、抹茶スイーツなるものは、これほど人気を呼ばなかったでしょう。コーヒーにせよ紅茶にせよ、一日にそれを何度も飲むことが習慣になっているから、それを使ったスイーツが盛んにならないのです。

加えて茶道の存在です。

茶道の総本山とも言える三千家（表千家、裏千家、武者小路千家）がある京都には、抹茶のイメージが色濃く染みついています。舞妓さんとおなじぐらい、京都と抹茶は強固なイメージで結びついています。さらには茶どころ宇治を擁《よう》しているのですから、京都に来ればまず抹茶を飲まなければ、となるはずなのですが、そんな声はめったに聞こえてきません。

なぜか。そこに茶道というものがあるからです。

多くのひとがイメージする茶道は、しち面倒くさいものですね。難しい作法があると思い込まされていますから、敬して遠ざけてしまいます。自分で点《た》てるどころか、お茶席で抹茶をいただくことでさえ面倒がられるのですから、抹茶を飲む機会が減っても当然かもしれませんね。

つまり、茶道の存在が京都と抹茶を結び付け、しかし実際に抹茶を飲む機会を減らす一因となったというわけです。二律背反状態を生み出してしまったのです。

そこに食い込んできたのが抹茶スイーツ。この二律背反を実にうまく利用したと言えるでしょう。

京都に来れば抹茶、と思いながらも面倒な作法が頭に浮かび、抹茶を飲む機会を逸してしまう。しかしそれがスイーツならばなんの問題もない。京都の抹茶気分を手軽に愉しめるのだから。そういう図式によって抹茶スイーツ人気は支えられているのです。

舞妓変身とカメラ店

このあたりは舞妓さんとよく似ています。

舞妓さんも抹茶同様、京都のイメージと密接に結びついていますが、実際に舞妓さんと親しく接するのには、かなりの困難を乗り越えなければなりません。抹茶では茶道でしたが、舞妓さんの場合はお茶屋さんという存在であり、一見さんおことわりという言葉です。

実際に舞妓さんとお近づきになるのは難しい。で、どうなったかと言えば、ひとつは舞妓変身です。

舞妓さんとおなじような衣装を着て、かつらも着けて祇園界隈を歩けば舞妓気分が味わえるというわけで、若い女性、とりわけ海外からの観光客に人気を博しました。

京都人のなかには眉をひそめるひとも多く、えせ舞妓とかニセ舞妓と呼んで、好意的に受け止めるひとは少なかったように思います。と言うのは、どんなに似せようとしても、似て非なるものでしかなく、立ち居振る舞いが本物の舞妓とは似ても似つかぬものになってしまうからです。

女性なら舞妓に変身することができますが、男性はそうはいきません。そこで写真に収めることで舞妓気分を味わおうとなったのです。こちらは主に中年から熟年世代の男性です。

スマートフォンだとかコンパクトカメラでは気分が出ないのでしょう。かならずと言っていいほど、首から一眼レフのカメラをさげて、花街で待ち受けます。みなさんとても上等のカメラをお持ちで、自慢し合う姿もしばしば見かけました。

そんなカメラおじさんたちにとって、憧れとも言える存在のライカ。その京都店が祇園花見小路にオープンしたのは偶然だとは思えません。ここにもやはり便乗力が働いたのだろうと推測しています。

舞妓さんたちの写真を撮ろうとして、カメラおじさんたちが待ち受けているのは、花見小路通の四条通を下がった辺りです。なかでも舞妓さんたちの出没率がもっとも高い、祇園甲部歌舞練場近くには、昼夜を問わずカメラおじさんたちがうろついています。そのすぐ前にあるライカ京都店は、否が応でも目に入ります。

舞妓さんの撮影に成功したカメラおじさんは、異様なほどのハイテンションですから、その勢いでライカを買ってしまう可能性は高いでしょう。なんともいい場所に出店したものです。京都の便乗力に頼るのは日本だけではなく、海外の企業もうまく応用しているという好例です。

さて、そうして念願のライカを手に入れたカメラおじさん。遠くからそっと、ならいいのですが、熱が入ってくると我を忘れて被写体に近づくのは、カメラマンの常です。立ちふさがるようにして写真を撮ったり、ポーズに注文を付けたりと、どんどんエスカレートしていきました。

さすがにここまで度が過ぎると、花街側としても黙っているわけにはいきません。日本語だけでなく外国語も書き足して、注意をうながす立札を道路上に設置しました。

それでもなかなか収まらず、舞妓さんたちから悲鳴が上がりはじめたところで、コロナ騒動が起こり、事態は急速に鎮静化しましたので、ライカも余計な濡れ衣を着せられずに済んだと、胸を撫でおろしていることでしょう。

抹茶と舞妓さんに意外な共通点があり、その裏には便乗力の存在があるのですが、それは現代に留まらず、むかしの話に便乗するのも、京都独特の手法だと言えます。

○代目を屋号にする

祇園の『八坂神社』からほど近い場所にそのお店がオープンしたのはいつだったか。さほど古い話ではありません。二〇〇九年ごろだったかと記憶していますが、京都人のあいだで話題になったのはその屋号です。

京都には代々継承しているお店や会社は少なくありません。二代、三代などは物の数に入りません。少なくとも五代以上は続いていないと、代目を語る資格がないというのが、京都の暗黙のしきたりです。

そのお店は屋号に〈八代目〉が付いています。八代続けば立派なものです。おそらくは百年を優に超える歴史を数えているでしょうから、真っ当な老舗だと言えますね。

ただ〈代目〉を屋号に付けることは、これまでの京都では見かけないことでしたから、あれこれと都の噂になりました。

――八代も続いてはるんやそうやけど、あんた知ってた？
――知らんかったわ。うちのジイサンに訊いても知らんて言うてた。どこでどんなお商売してはったんやろね
――けど、次に代替わりしはったら、屋号変えはるんやろか
――ほんまやね。どないしはるんやろ
というような会話があちこちで交わされましたが、〈よそさん〉効果は絶大だったと見えて、今でも長い行列のできる人気店となりました。
なかなか巧いネーミングだと思います。八代目と名付けることで、京の歴史に便乗するわけで、もしも〈代目〉が屋号に付いていなければ、認知されるのにもっと時間が掛かっただろうと思います。
京都では店の歴史が長いほど尊ばれますから、〈代目〉は大きな武器になりますが、それを屋号に付けることに抵抗があるのは、古い京都人だけであって、〈よそさん〉をはじめとして、京都でも若いひとたちは抵抗なく受け入れ、リスペクトを持って店を訪れるのです。
もちろん〈代目〉を使わずとも、京の歴史に便乗することはできます。

鯖街道物語から生まれた鯖寿司人気

地方を旅していると、よくシャッター街に出会います。アーケードに覆われた商店街のほとんどが店を閉めていて、ぽつんぽつんとまばらに店が開いています。そんなお店を覗いていると、年老いたご主人が出てきてむかし語りを始めるのはよくあることです。

——むかしはこの通りは大勢の行き来があったんだよ。この先に港があってね、そこから海産物を運ぶ道筋だったもんで、そりゃあ賑やかだったさ。うちの店も繁盛していて、休む間もなくよく働いたわ。それが今ではこんなさむかしを懐かしむしかないほどに寂《さび》れてしまったのです。

もちろん京都にもそんなところもなくはありませんが、多くはむかしのことを今に生かして栄えています。

京都の名物に鯖寿司《さばずし》があります。酢で締めた鯖の身を使った棒寿司で、これを目当てに京都を訪れる観光客もあるほどの人気です。

しかし鯖寿司が京名物の代表とまで言われるようになったのは、さほど古いことではありません。鯖寿司が京名物のひとつに数えられるきっかけとなったのは、鯖街道という言葉です。

海から遠い京都というイメージはかなり定着してきました。

実際には京都府の北部は日本海と接していますから、海なし県のようなことはないのですが、京都市街という観点からすると、たしかに海から遠く離れています。

海から遠く離れているということは、海産物との縁が薄いということになり、京都の食と言えば海の幸ではなく、野山の幸というイメージが長く定着しています。したがって新鮮な海の幸を京都の食に求めることは稀だったのですが、後章で詳述しますが、最近はそうではなくなってきて、新鮮なお刺身をセールスポイントにする飲食店も人気を呼ぶようになってきました。

ですが、長く京の街は海から遠く、それゆえなんらかの加工をした魚介類を使った料理が得意とされてきたのです。

そのひとつが鯖寿司で、ぼくが子どものころには、春秋のお祭りになると家で鯖寿司を作り、近所や親せきに配る習慣がありました。

しかし鯖寿司というものは、それ以上でも以下でもなく、お祭りのときのハレのご馳走という位置づけだったと思います。それも多くは家庭で作るもので、鯖は近所の魚屋さんで買い求めていました。

そのころから『いづう』の鯖寿司は有名でしたが、花街を中心とした旦那衆の嗜好品といったイメージだったと記憶しています。

そんな鯖寿司を目当てにする観光客は少なく、好んで食べていたのは京都通の趣味人ぐらいでした。かと言ってとても高価なものというわけでもなく、頼めば近所の仕出し屋さんでも作って持ってきてくれる、気楽なお寿司だったのです。

今のように、京都の寿司と言えばまず鯖寿司の名が挙がるほど、よく知られるようになり、多くの店が競って鯖寿司を商うようになったのは、ほんの二十年ほど前のことだったと思います。きっかけとなったのは、鯖街道という言葉です。

京都検定でもしばしば問題に出されますから、京都に興味をお持ちのかたなら、たいていはご存じだと思いますが、この鯖街道という言葉は近年、一般的に広く知られるようになった言葉です。

若狭《わかさ》の港に揚がった鯖を京都まで運ぶ道筋を鯖街道と呼びはじめたのは誰だか定かではありませんが、古《いにしえ》よりその道筋があったのはたしかなことです。

日本海側の若狭から、内陸部の京都までのあいだには、険しい山並みが連なっています。それを越えてくるのですから、決して容易い道ではありません。高低差や距離を考慮した道筋がいくつかあって、それらを総称して鯖街道と呼ぶのは実にうまいネーミングです。街道と付けば、ひとはきっと古くからあったのだろうと推測しますし、それに鯖を冠すれば、桶をかついで鯖を運んでくるひとの絵柄まで浮かんできます。

ただの道筋に名前を付けるだけで物語にしてしまう。これも典型的な京の便乗力です。

いつから鯖街道と呼ばれるようになったか、誰が名付けたか定かではないと書きましたが、この名前が一般的に広がるきっかけになったものが、賀茂川に架かる出町橋のたもとにあります。

〈鯖街道口〉の石碑

賀茂川はこの出町橋からすぐ南で高野川と合流し、鴨川となるのですが、賀茂川最南の橋である出町橋の西岸たもとに〈鯖街道口〉と刻まれた石碑が立っています。

つまりここが若狭から続く鯖街道の終点というわけです。

この石碑の南側面には、こんな文字が刻まれています。

〈小浜からの、いくつもの峠越えの道のうち若狭街道がいつしか「鯖街道」と呼ばれるようになりました。若狭湾でとれた鯖に塩をふり、担ぎ手によって険しい山越えをして、京の出町に至るこの食材の道は、今に息づく長き交流の歴史を語り続けます〉

そして北側面には、

〈于時平成十三年九月吉辰建之〉

と記されています。つまりこの石碑が建てられてから二十年ということになります。おそらく鯖街道という名称はこの時から一般的になり、それと時をおなじくして鯖寿司が京名物として人気を呼ぶようになったのです。

少し意外に思われませんか。ずっとむかしから京都の名物だと思っていた鯖寿司が、注目を集めるようになったのは、わずか二十年前のことだったのです。

千二百年を超える歴史を誇る京都にとって、たかだか二十年という時間はうたかたと言っていいほど短いものです。しかしながら、今という時代には重い意味を持つことがあるわけで、その繰り返しで京都という街は成り立ってきたとも言えます。

うたかたの積み重ね。それが京都の強みであり、そこに生かされてきたのが便乗力というわけです。

もう少しこの話を続けましょう。

反発から便乗へ　ミシュランガイドの顚末

ことのほか日本古来の伝統を重んじる京都ですが、外来のあれこれを巧く取り入れてもきました。少し言い方を換えれば、外圧を利用して内圧を高める、といったところでしょうか。

いったんは外圧をはねのけるような抵抗を見せますが、それを巧く利用できると判断すれば、さりげなく外来の亜種も組み込んでいくのは京都の得意技です。近年ではその典型がミシュランガイドでしょう。

平成十九年の秋、すなわち二〇〇七年にミシュランガイドの日本版が発売され大きな話題となりました。

折しも日本ではグルメブームが過熱していましたし、国内旅行も人気を博しはじめたころでしたから、どこのどんな店が星を獲得するのかと、店側も客側も興味津々でした。

そのころの京都では冷ややかに見るひとが多かったように思います。

――料理屋の格付けやて、そんなもん京都に関係あらへん
――フランス料理と違うて、日本料理はランクで分けられるもんやない

とりわけ和食の料理人さんたちは、大半が反発していましたが、あくまで東京だけのこととして他人事《ひとごと》という立場で発言しておられました。

それからわずか二年後の平成二十一年に京都・大阪版が発売されることになり、少し大げさに言えば、京都の料理界は激震に見舞われたのです。

戦々恐々、侃々諤々《かんかんがくがく》。京都中の料理屋さんはその話題で持ち切りになりました。

もっとも多く興味を抱かれたのは、老舗料亭が格付けを受け入れるのかどうか、でした。

むかしから京都の日本料理店は独自の歩みを続けてきていましたから、今さら自分たちの店をよそからどうこう言われたくない、という声が圧倒的で、ほとんどがミシュランガイド否定派でした。

それを受けてメディアの報道では、多くの日本料理店が掲載を拒否していると報じられ、ふたを開けてみても京都では十五軒のお店が掲載を拒んで協力しなかったために、お店の写真すら掲載できないという事態になりました。

それでも掲載を強行したミシュランガイド側への反発は根強いものがありました。

三ツ星として掲載された料亭は最高ランクとされたせいか、ほとんどは歓迎派になりました。ただ一軒、もっとも長い歴史を持つ老舗料亭の主人だけは、

——星の数の増減で店が左右されるのは心配だ

として掲載拒否の姿勢を貫きました。

それもしかし、回を重ねるごとに反発心がなくなったのか、その主人もまた拒否どころか歓迎という姿勢に転じられました。

当時ぼくはミシュランガイドを黒船にたとえていましたが、まさにそれとおなじ経過を辿ったように思います。

最初は追いはらうどころか、大砲でも打ち込みそうな空気でしたが、いつの間にか友好関係を築き、発表会のときには揃いのロゴマーク入りユニフォームを着て、ガイドブックの宣伝役を務めるようにすらなったのですから、黒船大歓迎とおなじ図式です。

関西版が出版されるようになって、一年目、二年目ぐらいまでは、掲載拒否するお店があ

るかどうかに耳目が集まりましたが、三年目からはまったくそんな声が聞こえなくなりました。いつの間にか、京都の料理界はミシュランガイドありきになり、新規に星を獲得した店のことや、星の増減ばかりが話題にのぼるようになり、令和に入ってからはそれすらなくなり、業界人でもない限り興味を示さないようになりました。

創業何年と謳うのとおなじように、星いくつと称されることが当たり前になり、それを当然のこととして受け入れる店ばかりになりました。星が増えればお客さんも増えるのですから、抵抗する理由もなくなったのです。

こうして外来の圧力を利用して、味方にしてしまう手法もまた京都独特の便乗力と言えるでしょう。

しかしそれは今に始まったことではなく、ずっと前から京都は外来のものを巧く利用してきたのです。

赤レンガも京の名景

言うまでもなく京都は日本古来の〈和〉を尊ぶ街です。そのため街並みの美しさを保つための景観条例も京都市によって制定され、厳しい制限が設けられています。

落ち着いた色合いで街並みを統一するため、とりわけ外壁などの色については、限られた色彩しか使えないように規制されています。

ほかの都市では問題なく使えるだろう赤や黄色、青色などを一定面積以上外壁に使うことはできません。店舗はもちろんのこと、一般住宅でもおなじ規制が掛かり、うちの近所でも若いご家族が新築される際に、ブルーの外壁をグレーに塗り直させられる事態になったようです。

そのため京都洛内のコンビニの看板はおおむねほかと違う色になっています。祇園石段下にかつてあったコンビニは、町家を思わせる茶色の外装と看板で、青をシンボルカラーとするコンビニとは分からないほどでした。

京都の色もまた、外来のものもたくさんありますから、どの色が京都にふさわしくて、どの色がふさわしくないのか、は科学的な根拠というよりも情緒的な根拠に基づいているような気がします。

たとえば赤。赤信号に使われるような、あるいは日の丸の赤のような赤色は制限されますが、祇園の『一力茶屋《いちりきちゃや》』の外壁に使われているベンガラ色なら大丈夫なのです。さきほど書きましたコンビニからは目と鼻の先です。明度や彩度などで判断されるのでしょうが、おな

『南禅寺』の山門

じ赤でも使えたり使えなかったりします。ベンガラは京都らしい色として肯定され、コカ・コーラの看板のような真っ赤は否定されるのが京都です。

赤と言えば赤レンガも京都の建物には古くから使われていますが、これもまた京都らしい色として肯定されています。赤レンガには文明開化のイメージがあり、それは京都が京都でなくなったときと重なりますから、新しい京都として受け入れられるようになったのでしょう。その象徴とも言える建築が、京都の古刹《こさつ》に残されています。

かの石川五右衛門が絶景かなと称賛したのは『南禅寺』の山門です。時代が合いませんから、これはあとの時代になって作られた作り話だと思いますが、それはさておき『南禅寺』と言えば、

水路閣

京都五山、鎌倉五山の上に置かれる、別格扱いのお寺とされ、日本で一番格式の高い禅寺なのだそうです。

それほど由緒正しきお寺の境内に、赤レンガの西洋建築がそびえ立っているのですから、なんとも不思議な話です。

テレビドラマなどでもよく使われますからご存じでしょう。『水路閣《すいろかく》』がそれです。

琵琶湖疏水の水道橋として建てられた『水路閣』はたしかに落ち着いた色合いのレンガ建築ですが、アーチ状のデザインといい、どう見ても歴史あるお寺が容易く受け入れるようには思えません。しかしながら包み隠すことなく、今も堂々とそびえ立っているのです。

あとで京の復元力として書きますが、都の長い歴史のなかで明治時代というのは、格別の意味を持っています。そのとき歴史は変わった、と同時に都人の意識も大きく変わりました。

格式ある禅寺の境内に西洋建築が建つことになれば、当然のごとく猛烈な反対運動が起こりますが、新しきを受け入れようというムーブメントも湧き起こり、結果として後者を受け入れることで、京都は次のステップに進めたのです。

京都の洋館建築と言えば三条通近辺がよく知られていますが、京都御所のすぐ近くに建つ学校の洋館も美しい眺めで異彩を放っています。

外来の異質なものを排斥するのではなく、モダンなイメージにうまく便乗して、それをも京都の名景としてしまう。これも京都の得意技です。

2. 擬態力——よそさん経済効果

よそさん

〈よそさん〉というのも、京都独特の言い回しでしょうね。京都の人たちは、他府県の人たちを〈よそさん〉と呼びます。〈よそ〉は〈他所〉という意ですが、そこに〈さん〉を付けることで敬称としているのです。

そして、この〈よそさん〉という言葉もいろんな意味を含んでいて、なかなかひと言では言い表せません。ほかの京言葉とおなじく、この言葉が使われる場面によって、微妙に意味合いが異なってくるのです。

たとえば、京都で有数の人気を誇り、格付け本でも高い評価を得ている飲食店があって、その店のことを京都人どうしが話題にすると、こんな感じになります。

――Sさんて、えらいよう流行《はや》ってるんやてな。ぜんぜん予約が取れへんらしおすがな

――〈よそさん〉がやってはるんやろ。京ナンチャラて屋号付けてはるけど、京都でお店しはって、まだ十年ほどしか経ってへんのと違うかしら

――やっぱりそうどしたか。詳しいことは知らんのやけど、なんとのうそんな感じやなぁて思うてました

――ご主人もマダムも京都と縁もゆかりもない方どすえ

――お客さんも〈よそさん〉ばっかりやて聞いてますけど
――お店は京都にあるんやけど、店の人もお客さんも〈よそさん〉だらけ。最近はそんなお店ばっかりになりましたなぁ
――〈よそさん〉は商売がおじょうずやさかいに
――〈よそさん〉のお客さんは、人気のあるお店やったら、どんな料理出しても褒めてくれはるし

なかなか辛辣な会話ですが、京言葉でやり取りしているせいか、あまりキック感じませんね。不思議なことです。

ただ、このおふたりの会話に出てくる話はすべて事実です。

いつのころからか、地方の料理人さんが京都でお店を開くことが増えてきました。もちろんそれは悪いことでもありませんし、京都の街では古くからそうしたことが行われてきました。

本物の〈よそさん〉は郷土を誇る

京都の街でひと旗揚げたいと思われるのも当然のことでしょうし、そういう夢を持って料理を作り続けるのは古今東西、料理人さんの常だと言ってもいいでしょう。

その名残は今も京の街のあちこちで見られます。

京都でも有数の歴史を誇る、老舗中の老舗『本家尾張屋』などがその代表です。屋号が示すとおり、尾張の国から出てこられたのでしょう。応仁の乱のころからあるお店では、飛び切り美味しいお蕎麦《そば》が食べられます。

あるいは一日二組限定で、いわば和風オーベルジュを営む『懐石近又《かいせききんまた》』も近江出身の老舗料理店です。ここもまた屋号に誇らしげに、近江の一字が使われています。

古く一八〇一年、十一代将軍家斉の時代に、近江の国からの薬商人の定宿として、この店の歴史は始まりました。

『近又』という屋号の由来は、江戸時代に初代又八という人が『近江屋』という屋号で薬商人の宿を始めてから、四代目又八の代になって、京都に「近江屋」の屋号が多かったため、改名して近江の「近」と又八の「又」から「近又」という屋号になった、とホームページに記されています。現代の当主は数えて七代目になるそうです。

こうして尾張や近江から京に出てきた人たちは、京の都の歴史と伝統を守ることに大きな役割を果たしてきました。なればこそ、今や京の老舗として崇められているのです。そして何より大切なことは、その屋号に見られるように、出身地である郷土に誇りを持っていることです。京の都になじんではいるが、決して迎合しないという姿勢が、京都人からの尊崇を集める所以でもあるのです。

したがって『尾張屋』や『近又』のことを、〈よそさん〉と呼ぶ京都人はいません。押しも押されもせぬ、立派な京都の老舗なのですから。

では、先のふたりの会話に出てきた店はどうでしょう。百年も経てば〈よそさん〉でなくなるでしょうか。

おそらく答えは否でしょう。

その理由はただひとつ。出身地である故郷をたいせつにせず、〈京〉をなぞっているからです。

長く都として栄えてきた京の街には、日本のあちこちから人が集まってきました。ちょうど今の東京のようなものです。言葉ひとつとっても、まったく京の街とは異なる、地方の人たちがたくさん居るわけですから、摩擦が起こり、諍《いさか》いになることも少なくなかったのです。

それを避けるために、京都の人たちはあらゆる地方を尊重していました。地方によって差別することもなく、分け隔てするなどということはありませんでした。

よく言われるように、京都の人たちは自分たちの郷土に誇りを持っていますが、それはほかの地に対してもおなじなのです。自分たちの郷土を誇りに思い、たいせつにする人を尊崇しますが、そうでない人に対しては異なった態度で接します。

自分たちの郷里をたいせつにしない人たちは、京都のこともだいじにするわけがないと思っているからなのです。

それがもっともよく表れるのが屋号というわけです。したがって地方から出てきたにもかかわらず、〈京〉を屋号に冠し、いかにも古くから京都にあったかのような店構えを造る人たちを〈よそさん〉と呼びます。

このあたりが『京都ぎらい』で書かれていたこととの違いです。

洛中と洛外での差別を指摘されていたのと違い、内ではない、外をすべて〈よそさん〉として区別するのではありません。昆虫や動物たちのように京を擬態することに対して〈よそさん〉というレッテルを貼るのです。

言い換えれば、〈よそさん〉が京都という街の擬態力だけに頼ろうとすることをよしとしないのが、京都人の習いなのです。

――京都のお方やないのに、ずっと京都でお商売してるような言い方はせんほうがええ思いまっせ。どこそこから来たて素直に言わはったら、うちらも宣伝したげるのに

――そうどすなぁ。お店の看板にも、京ナンチャラて書いてはるさかい、古ぅから京都にある店やて間違われますやん

京都人はこんなふうに思っているのです。

しかしながら〈よそさん〉は、おなじ〈よそさん〉にとっては、どうでもいいことなので、想像以上に繁盛することも稀ではありません。むしろ擬態したほうが観光客にはウケがいいので、行列ができる人気店になりやすいのです。

こうして、京を擬態するお店は増えるいっぽうで、むかしからの京都のお店が霞んでしまう傾向にあります。擬態が巧妙になればなるほど、京都のお店が京都らしく見えなくなってしまうことすらあります。

ネット情報が飛び交う世のなかですから、新しくお店ができると、すぐにその情報が伝わ

ります。それが擬態であろうがなかろうが、目新しさがあって、なんとなく京都っぽい空気を湛《たた》えていれば、あっという間に人気店ができ上がり、あとに続く店が増え続けるのです。故郷を出て京都へ行こう！　そんな声が日本中で巻き起こるのです。

京へ錦を飾る

〈故郷へ錦を飾る〉という言葉があります。

辞書にはこう書かれています。

〈故郷を離れていた者が、立身出世して晴れがましく故郷へ帰る〉（『大辞泉』）

晴れがましく、という言葉がいいですね。育ててくれた故郷へ恩を返す、という意も含まれているように思います。

一極集中の時代になって、〈故郷へ錦を飾る〉という言葉は死語になってしまったようです。今の時代はいとも容易く故郷を捨ててしまいます。ひと旗揚げたいという思いが強すぎて、ひとを前のめりにさせてしまうのでしょうね。

地方でくすぶっていたお店が息を吹き返すのは、かつては東京でした。それも銀座に出店して脚光を浴びたい、となるのが一般的でした。

それに代わって、近年では京都に店を出す、あるいは移転することが流行のようになってきました。

このあたりの心理は、長年京都に住んでいると、正直なところあまりよく分かりません。とりわけ地方で充分成功しているのに、わざわざ故郷を捨てて京都にお店を移してしまうのはなぜなのか。おそらくは、京というブランドが欲しかったのでしょうね。もしくは、京都で認められれば、一流の証《あかし》を得られると思われているのかもしれません。

成功事例があると、あとに続きやすくなります。

東海地方の小都市から京都へ移転してきた中華料理のお店は、格付けガイドブックでも連続して星を獲得していて、予約も取りづらい人気店だそうです。

それもやはり、店名にも〈京〉を冠するように、京都という街にあってこそのことなのでしょう。以前の小都市にあっては、ここまでの注目を浴びなかったかもしれませんから、京の擬態力が効いたと言えます。

もちろん、どんなお店でも京都にさえ来れば繁盛するというものではありません。しっかりした地力を備えていなければ、激戦地の波にもまれてもくずと化してしまうことも少なくないでしょう。

コロナ禍《か》にあっても、この傾向は続いていて、最近では岡山の鮨店が京都に移って来たことが話題になりました。

ぼくも何度か食べに行きましたが、岡山の郊外にあって、いつの間にか日本中から食通や鮨好きが通うお店になり、営業時間も少なくなり、狭き門となっていただけに、京都へ移転すると聞いたときは驚いてしまいました。

祇園のような派手な場所ではなく、ビジネス街の一角にあるせいでしょうか。なんとなくむかしからそこにお店があったように感じてしまいます。ちょうどナナフシという昆虫が、木の枝に擬態するのとよく似ています。

一地方の名店で良しとするか、京都に出てきてさらなる名声を求めるか、きっと悩みに悩んだうえでの結論だったのだろうと察します。

こうなると京の擬態力も罪なことなのかもしれません。

ここでは飲食店を一例として挙げていますが、ほかの業種でも似たようなものです。今やお寺でも、〈よそさん〉が人気を博して大繁盛することもあるくらいです。

〈よそさん〉のお寺

紅葉の時季ともなれば、庭を持つお寺はどこも多くの参拝者で賑わいますが、紅葉の名所と呼ばれるお寺となると、そう多くはありません。

『永観堂』や『東福寺』などがその代表ですが、近年はそれに加えて、洛北のR院というお寺が大人気です。正確に数えたわけではありませんが、SNSに投稿される数では、先のふたつの有名寺院を超えているように思います。猫も杓子《しやくし》も、と言っては失礼かもしれませんが、他府県からお越しになる多くの観光客の方たちが、洛北のR院に足を運び、紅葉の写真を撮って投稿されることが目立つようになりました。

このR院というお寺は、十六年ほど前まではK亭という料理旅館でした。

もともとは京都でも名を知られた実業家の別荘で、そののち電鉄会社の所有となり、会社の重役たちの別荘として使われていたのを料理旅館としたのです。

お世辞にも繁盛しているとは言い難い料理旅館でしたが、やがて廃業の憂き目に遭ったところを、岐阜県のお寺が買収したのは二〇〇五年のことでした。

そして、それまで料亭の客席だったところへ本堂を設置し、寺院として改められることになりました。つまりは〈よそさん〉のお寺が京都に支店を出したようなものなのですが、それを知らず、古くから京都にあったお寺だと思い込んで、紅葉狩をされている方が多くおられるようです。

このR院のホームページを拝見したのですが、ご本尊だとか本堂などのことにはいっさい触れていません。岐阜のお寺から移してきたという寺宝の写真が、わずかに寺院らしさを見せているだけで、それがなければ観光庭園と見まがうばかりです。

有名寺院であっても、国宝を擁するお寺であっても、おおむねお寺の拝観料は数百円程度なのですが、このR院は二千円とされています。けっこうな価格だと思いますが、それでも拝観予約が殺到するというのですから、侮るなかれ、〈よそさん〉のお寺です。

なぜそれほどまでこのR院が人気を呼んでいるかと言えば、それは一にも二にも映える写真が撮れるからです。

少しばかり辛辣な言いかたになってしまいますが、観ることより、撮ることのほうに重きを置くひとが多いのが現状です。どんなに美しい景色を見られたとしても、それを写真に撮ることができなければ、人気沸騰とならないのが今の時代なのです。

近年はマナーの悪い拝観客が少なくないせいで、お寺の庭園も撮影禁止とされているところが増えてきました。苔《こけ》を踏んで撮影したり、立ち入り禁止のところへ三脚を立てたりと、迷惑千万な素人カメラマンが増えてきたそうです。その意味でも、自由に撮影できるところに集中するのでしょう。

ＳＮＳ上でこのＲ院が投稿されていれば、すぐにそれと分かります。なぜなら、どの写真もおなじようなアングルで、どれもおなじ絵柄だからです。そしてそれをＳＮＳで見た人たちが、おなじような写真を撮って投稿しようと押し寄せます。この循環がどんどん増幅されて人気を集めるのですから、料理旅館をお寺に変えたのが、まんまと当たったわけです。

かつては酔客が高歌放吟しただろう料理旅館の座敷は、お寺のお堂となったことで、机に映る紅葉まで神々しく見えてしまうのですから、お寺の力は凄まじいものですね。

これをしてぼくは、京の擬態力と呼んでいます。

擬態とは。辞書には〈他のもののようすや姿に似せること〉（『大辞泉』）と書かれています。すなわち、Ｒ院の場合は、〈京都の古寺のようすや姿に似せること〉で成功したわけです。料理旅館の玄関門は山門に、通路は参道に呼び替えるだけで、いかにも洛北の古寺の風情になるのです。

かつては、由緒というものがその価値を決める重要な要素になっていたのですが、それは今の時代では、映え、に取って代わられたのです。その大きなポイントが擬態力。いかに巧妙に似せるかが決め手です。

これがもしも街なかの料理旅館だったとしたら、うまくいかなかっただろうと思います。誰もが見慣れていた料理旅館がいきなりお寺に替わってしまったら、きっといぶかることでしょう。

いかにも古寺が佇《たたず》んでいそうな洛北の山里にあって、しかも、さほど繁盛していなかったせいで、その存在をほとんど知られていなかった料理旅館だったから、擬態力を発揮することができたのです。

つまり擬態力にはそれなりのロケーションやプロセスが必要なのです。ただ似せるだけでなく、いかにも、と思わせる条件が整わないと擬態力は発揮できません。

そしてもうひとつ。辞書には擬態について、こう書かれています。

〈動物が、攻撃や自衛などのため、体の色・形などを周囲の物や動植物に似せること〉（『大辞泉』）

これも京の擬態力をよく言い表していると思います。

京都に移転してきたり、〈よそさん〉が京都で新しくお店を開いたりするときに、できるだけ京都らしく見せることに努めるのは、京都人から攻撃されないようにするためでもあります。あるいは京都らしく見せることで、多くのお客さんを惹きつけるためです。つまりは擬態することで自衛と攻撃の両面的な効果を狙っているのですね。

先のR院などは、まさにそうした擬態力で人気を博すようになったのです。

ジャンルを擬態する――予約の取れない食堂

今の京都でもっとも予約が取りづらい店の一軒に、食堂と名付けたところがあります。うまいことやったなぁ、というのが正直な感想です。

予約が取りづらいことで知られる割烹店出身というだけで、すでに人気は約束されていましたが、そこが食堂を屋号に付けたのですから、繁盛確実。絵に描いたようなサクセスストーリーを歩んでいます。

食堂というものは本来、駅前食堂や学生食堂、大衆食堂といったように、誰でも気軽に入れて、しかも手ごろな値段で食べられるお店に付けられる名称です。したがって割烹やフレンチなどの高級店が食堂と呼ばれることには少なからぬ抵抗があるはずです。

――食堂？　うちはそんな安っぽい店ではない

自身の店を食堂と呼ばれたら、きっと主人は顔色を変えてこう言ったでしょう。それとは正反対の作戦です。

――うちはあくまで食堂ですから

さまざまなことをスルーできる食堂を名乗るのは、京都らしい巧いやり方だと感心するばかりです。

擬態力という言葉を使うと、ずるがしこいイメージになるかもしれませんが、狡猾《こうかつ》であることは生き残るための方策でもあり、そのためには先を見通す力が必要になってきます。

近い将来や遠い未来を思い描き、そこで自らを輝かせるためには何が必要か。あるいはどんな時代になっても必要とされるものはなにか。

百年先を見通す力、先見力を持っているのが京都という街です。

3. コロナ禍できらりと光る京の先見力

仕出しは京の得意技　百年前のウーバーイーツ

令和二年は多くの人々の記憶に長く残る年になりました。

疫病蔓延によって日本中が苦境に陥るなど、とうのむかしの話だと思っていました。なんの影響も受けなかったというひとは、まったくおられないだろうと思いますが、とりわけ飲食業界や観光業界は大きな打撃をこうむりました。

どちらもコロナ禍以前は、グルメブームやインバウンドのおかげで好況を呈していましたから、まさかという思いだったでしょう。

このままでは立ち行かなくなる。なんとかしなければ、とあれこれ工夫を凝らした飲食業界が真っ先に打ち出したのは、テイクアウトや宅配です。

店内での飲食が制限されるなか、お店の料理を買ってもらうにはそれしか方法がないわけですから、多くの飲食店が持ち帰りや宅配といった形を採用するに至りました。

令和二年の歳末になっても、いっこうに終息の気配を見せていませんでした。これを執筆している時点でも、状況はほとんど変わっていません。

自分が作った料理は、自分の店の客席で食べてもらうもの、と決め込んでいた料理人さんたちは大変だっただろうと思います。作り立てではないものを食べてもらうことを前提にして、料理を作らないと持ち帰りや宅配にはできませんから。

パッケージをどうするか、だけでなく、衛生面でも店内飲食とは違った面で注意を払わねばなりませんし、価格設定やら配達の方法など山積する問題を解決して、やっとテイクアウトや宅配にこぎつけ、なんとかひと息ついたという飲食店も多くありました。

そんな状況を横目にしながら、淡々と営業を続けているお店が京都には何軒もあります。それが仕出し屋さんです。

京都には古くから仕出し文化があり、街場の小さな料理屋さんから、大きな料亭、仕出し専門店まで、多くのお店が料理を配達、もしくは持ち帰りという形を続けてきていましたから、今になって慌てる必要もなく、従前どおりの商いを続けることができるのです。

仕出しという言葉になじみがない方のために、少しだけ説明しておきましょう。

出前とは少しく意味合いが異なり、お店で食べることは少なく、配達専門に料理を作るお店を仕出し屋さんと呼び、ぼくが子どものころには、各町内に二、三軒ほど仕出し屋さんがありました。

焼魚だとか出汁巻き、天ぷらから煮物などなど、和食のおかずならたいていのものを作ってくれていました。

こちらから注文することもあれば、仕出し屋さんから御用聞きに来ることもよくありました。

とりわけ歳事にちなんだ行事食は、仕出し屋さんが本領を発揮する機会ですから、近所の仕出し屋さんが競い合うように注文を取りに来ました。

とりわけ印象に残っているのは節分イワシです。

今でこそ恵方巻《えほうまき》などというアヤシゲなものに主役の座を奪われていますが、かつて京都では節分と言えばイワシを食べる日と決まっていました。

それぞれのおうちで焼くものですから、少々大げさに言えば、町内中にイワシの匂いと焼く煙が充満していました。

我が家は診療所ですから、診察室や待合室にイワシの煙が流れることを嫌って、毎年仕出し屋さんから、塩焼きにした節分イワシを届けてもらっていました。

一軒だけ贔屓《ひいき》にするわけにはいきませんので、三軒の仕出し屋さんからイワシが届きます。骨の多い大羽《おおば》イワシは子どもがもっとも苦手とする食べ物ですが、これを食べないと豆まきもさせてもらえませんから、苦しみながらも三匹の節分イワシを平らげたのも、今となっては懐かしい思い出です。

時は流れ、外食習慣が普及するにつれ、むかしながらの仕出し屋さんは減るいっぽうでしたが、コロナ禍によって仕出し文化が見直されてきたのは皮肉な話です。

街の仕出し屋さんが姿を消していくなか、かたくななまでに客席を作らず、京の仕出し文化を守り続けてきたのが、『辻留《つじとめ》』と『菱岩《ひしいわ》』。京の仕出し屋さんの両横綱です。どちらも茶懐石の出張料理から、花見弁当や観劇幕の内など多岐にわたる日本料理を手掛け、長く京都人に親しまれ続けています。

一番人気と言っていいのはおせち料理。ぼくは毎年、我が家のおせちに加えて、『辻留』さんのおせちで正月を迎えますが、三ツ星料亭と負けず劣らずの料理は家族みんなをしあわせにしてくれます。

そんな仕出し文化を象徴するのが、自転車で仕出し料理を配達する『菱岩』の若い衆の姿です。

むかしながらの武骨な自転車に乗り、料理を入れた木箱を十段ほども肩に載せ、軽快にペダルを踏む白衣姿は祇園名物です。ぼくも子どものころこれを見て、その凛々《りり》しい姿を惚れ惚れとし、見とれていたことを思い出します。

近隣のお茶屋さんに配達するのでしょうが、バックパックに料理を入れて自転車で疾駆《しっく》するウーバーイーツのさきがけと言えます。

自転車で料理を運ぶ姿は目新しく映るかもしれませんが、京都では半世紀以上も前から見慣れた光景なのです。ここでも京都の先見性がきらりと光ります。

京都にはなぜ「夜の街」がないのか

京都の先見性はほかにも見られます。コロナ禍で何度も耳にした忌み言葉である〈夜の街〉にもまた、京都の先見性が生かされているように思います。

感染拡大が第一波から第二波へ移っていったころから、避けるべき場所として、〈夜の街〉という言葉がしばしば使われるようになりました。

東京や大阪の知事が口を酸っぱくして言っていたのは、感染拡大の恐れが大きい〈夜の街〉はできるだけ避けるように、でした。

〈夜の街〉という言葉を久しく聞いていなかったのですが、その言葉の持つ意味合いを考えてみた方も多かったでしょう。具体的な地名を名指しする代わりに、〈夜の街〉という言葉を使って、暗にその場所を指し示していましたから、テレビのワイドショーなどは、そのニュースのバックに〈夜の街〉の様子を映し出していました。

東京だと新宿歌舞伎町、大阪ではミナミと呼ばれる地域、名古屋では栄や錦、北海道では札幌ススキノの映像を流し、これが〈夜の街〉だと言わんばかりでした。

知事という立場上、はっきりと具体的な地名を挙げることはできなかったのでしょうが、府県によっては名指ししたところもあったようです。

いずれにせよ、おおかたの都道府県には〈夜の街〉という場所があるようですが、京都では思い当たるところがありません。

強《し》いて挙げるとすれば、祇園や先斗町《ぽんとちょう》となるのでしょうが、他府県のような〈夜の街〉と同列に扱うには無理があります。なぜなら祇園も先斗町もごく一部を除いて、おおむね夜の店仕舞いが早いからです。

〈夜の街〉と言う以上、深夜遅くまで大勢のお客さんが街のなかをうろつき、それに対応するお店もたくさんなければいけません。煌々《こうこう》と明かりに照らされ、不夜城のような様相を呈さないと〈夜の街〉とは言えませんよね。新宿歌舞伎町やススキノなど、先に挙げた界隈はまさにそんな感じです。

これらと比べるまでもなく、祇園や先斗町は日付が変わるのを待たずして、明かりを落とし、静かな夜更けの街として佇んでいます。

いっとき盛んに訪れていた外国人観光客の、京都に対する一番大きな不満が「夜遅くに愉しめるところがない」だったことからも明らかなように、京都にはいわゆる〈夜の街〉がないのですから、避けようもないのです。

ではなぜ、観光都市として世界にその名を知られる京都に〈夜の街〉がないのでしょう。その答えは〈一見さんおことわり〉という言葉にあります。

祇園も先斗町も、歴史ある花街であり、一般的な歓楽街とは一線を画しています。お茶屋さんを核として、芸妓や舞妓たちが街を彩りますが、誰でもが自由に入り込めるわけではなく、限られたひとたちだけが遊ぶことを許されたエリアなのです。それを端的に表現したのが〈一見さんおことわり〉という言葉です。

よく誤解されるのですが、祇園や先斗町にあっても、割烹や料亭などはおおむね〈一見さんおことわり〉ではありません。きちんと予約さえすれば、初めてのお客さんであっても快く受け入れてくれるのがふつうです。

〈一見さんおことわり〉としているのは花街のお茶屋さんです。たとえいくらお金を積んだとしても、初めての客がお茶屋で遊ぶことはできません。なぜかと言えば信用がないからです。

お茶屋さんの料金システムは今ふうに言えば、オールインクルーシブ。前述したように、芸妓・舞妓さんたちの花代はもちろん、飲食費、交通費、お土産代など、ありとあらゆる経費はすべてお茶屋さんが立て替え払いをしますから、当日は客の側の出費は一円もありません。後日請求書が来て支払うことになります。

些少《さしょう》な額ではありませんから、すべてを立て替えるお茶屋さん側にとって、見ず知らずの一見客はもちろん、紹介者がいてもいくらかのリスクが伴います。

ほかにもいくつかのわけがありますが、祇園などの花街が〈一見さんおことわり〉にしている最大の理由はここにあります。

会員制の高級料理店が増えているようで、クローズドゆえの安心感から盛況を見せているとのことですが、おなじことが花街にも言えます。

祇園をはじめとした花街でも、舞妓さんらに感染者が出たようですが、顧客に感染は広がらずに済んだと聞きました。

〈一見さんおことわり〉というシステムは感染拡大予防にもつながったというわけで、これもまた京都の先見力と言えるのではないでしょうか。

ライトアップの功罪

京都には〈夜の街〉がない。したがって夜の愉しみがない。インバウンド客をはじめとして、多くの観光客からそんな声が上がったのを受けて取り組むようになったのが、夜のライトアップです。

人気寺院が夕刻いったん門を閉め、夜のとばりが降りたころに再び開門し、ライトアップを施した庭園を観光客に見せるという仕掛けは、想像以上の人気を呼び、夜間拝観を行う寺院は年々増えるいっぽうになりました。

当初は夜桜の期間だけや、紅葉の時季だけでしたが、新緑のころや真冬に行う寺社も出てきました。

こうして夕食の前後にライトアップを愉しむことは、今や京名物のひとつとなっています。

コロナ禍以前は、人気寺院のライトアップは大混雑し、押すな押すなの大盛況となり、情緒が失われてしまったせいか、不評を得るようになってしまいました。

不法駐車やごみのポイ捨てなど、近隣住民からの苦情も多く寄せられるようになり、中止するところも出てきたところへのコロナ禍です。

密を避けるために予約制を取ったり、人数制限するなどして、以前の情緒を取り戻したのは、まさに禍《わざわい》を転じて福と為す、になったようです。

風通しの良い屋外でのイベントで、かつ混雑しないとなれば、安心して出掛けることができます。〈夜の街〉ではなく、〈夜の庭〉なら感染拡大につながらないでしょう。

古くから京都に住んでいるひとたちの多くは、ライトアップが流行りだしたころは、その必要性に疑問を感じていました。ぼくもそのひとりです。

夜は薄暗いからこそ、京都のしっとりした情緒が際立つのです。

「清水へ祇園をよぎる桜月夜こよひ逢ふ人みなうつくしき」（与謝野晶子）など、多くの歌人たちが夜桜を詠いましたが、それらは決して、煌々と人工の明かりに照らされたものではありません。暗闇のなかに妖艶な桜色を浮かび上がらせていればこそ、の歌だったはずです。

かつて日本画の大家の方と桜の話をしていたとき、桜は朝一番がもっとも美しいと仰っていました。なぜなら安らかに夜のあいだ眠っていたので、朝は精気を放っていて美しく輝いているからだ、と。

そんな安らかな眠りを桜から奪うようなライトアップはとんでもない。そうも言っておられました。ライトアップされていた桜は、朝になってもいっこうに精気を放たないのだそうです。人一倍審美眼に長けておられる方の言ですから、きっとそのとおりなのでしょう。

いっぽうで、虫たちとおなじく人間も、夜の闇のなかでは自然と明かりのあるところに吸い寄せられるのも事実です。そうなれば界隈は賑わいますし、経済効果も生まれます。

飲食店や土産物店にとって、ひとを集めてくれるライトアップはありがたい存在なのです。

ライトアップは打ち出の小槌。そう公言してはばからない観光業者のかたがおられれば、京情緒が失われると顔をしかめるひともいます。

このせめぎ合いがしかし、京都の魅力を高めてきたとも言えます。慎重論と積極論が互いをけん制しつつ、落としどころを探っていくプロセスが京都を育てる力になってきたのです。

明らかに過密になり過ぎていたライトアップイベントですが、コロナ禍によって密が解消され、慎重派も推進派もどちらも納得できるような、ほどよきところに落ち着いた感があります。

こうして振り子がいっぽうに偏りすぎることなく、うまく折り合いが付くようになっているのも京都の隠れた力です。

マイクロツーリズムと「ちょっとそこまで」

旅は自粛するように、というお達しが出たかと思えば、ＧｏＴｏトラベルキャンペーンが始まり、令和二年の年の瀬になって、またそれが中止されるという、目まぐるしい動きを見せています。

いったいどうすればいいの？　という嘆き節があちこちから聞こえてきます。とりわけ宿泊業を営むひとたちにとって、令和二年はコロナに翻弄される忌まわしい年になってしまいました。

しかしながら嘆いてばかりはいられません。知恵を絞って生き残り戦略を練らないと存続が危ういところまで来てしまいました。

そんななかで注目されるようになったのが、マイクロツーリズムという言葉です。

マイクロ、つまりは近場の極みへ旅をしようということですね。距離が増えれば増えるほど、ひととひとが接触する機会が増え、感染が広がる恐れがある。それを最小限のリスクに留めるには、ごく近場への旅を愉しむのがいいというわけです。

これを提唱しているのが、全国リゾートチェーンのトップで、つい先ごろまでは遠くへの旅を推し進めておられたのですから、皮肉な話です。

それはさておき、近場への旅とは具体的にどの範囲までを言うのか。厳密な規定はなく曖《あい》昧《まい》なものですが、どうやら府県をまたがないように、という意味のようです。

それなら京都人がむかしから得意としてきたことです。

街角で京都人どうしの知人がばったり出会って、立ち止まります。ひとりは普段着姿。もうひとりは少しばかりオシャレをしています。先に声を掛けるのは普段着姿のほうです。

——お出かけどすか？

——へえ。ちょっとそこまで

——よろしおすなぁ。お気を付けて

——おおきに

こんな会話を交わし、会釈《えしやく》したあと互いに背中を向けて歩きだします。

これで通じ合っているのですから、京都人というのは実に不思議な存在です。具体的な行先など答えず、〈ちょっとそこまで〉としか言っていないのに、〈よろしおすなぁ〉とうらやむような物言いを返す。互いに踏み込み過ぎないのは、冷淡なようにも思えますが、これが京都人どうしの付き合い方です。

これが浪花っ子どうしなら、こうはいかないでしょう。

――ちょっとそこ、てどこやねん。そこでは分からんがな

――そこ、っちゅうたら、そこやがな。どこでもええやろ

――はは～ん。ひとには言えんとこへ行くんやな。図星やろ

――ひとのこと放っといてんか。あてがどこ行こうが、あんたには関係あらへん

と、まぁ、こんなふうになってしまうことかと思います。

おなじ関西でも、ひととひととの付き合い方がまるで異なるのがおもしろいですね。

ここで注目したいのは〈ちょっとそこまで〉です。

これは明らかに近場を意味しています。言葉としては、大儀ではないと言っていますが、実際には遠方へ出かけることもあります。たとえ遠くへ出向くときであっても、すぐ近くと表現するのは、京都人の意識のなかに、近場ならとがめられることも、案じられることもないだろうという気持ちがあるからです。

コロナ禍の今こそ〈ちょっとそこまで〉は使える言葉だと思います。

旅行や帰省、出張など遠方へ出かけることがはばかられるようになりましたが、〈ちょっとそこまで〉ならかまわないでしょう。

なんでもかんでもカタカナを使って言わないと気が済まないひとたちが増えていますが、マイクロツーリズムなどと言わず、ちょっとそこまで、と言ったほうがはるかに粋ですし、気持ちがいいと思います。これもまた京都の先見力だと言えますが、根底にあるのはひととひとの付き合いを密にし過ぎないという知恵でもあるのです。

第四章

京の美食力――なぜ京都の食は天下無敵なのか

1. 京都の看板力

〈京〉の文字がないものこそ、ほんものの京都

京都は街ぜんたいが大きな看板を背負っています。もちろんそこに書かれているのは〈京都〉という二文字です。

ふつう看板というものは、その在り処《か》を示すためのものであって、いわば目印のようなものなのですが、〈京都〉という看板は少しく意味合いが異なります。

ずいぶんとレトロな例を引き合いに出して申しわけないのですが、京都の街が背負っている〈京都〉という看板は、いわば水戸の黄門さまがお見せになる印籠《いんろう》のようなものなのです。

――どうだ！　これが目に入らぬか。ここをどこだと心得る！　畏《おそ》れ多くも〈京都〉の街であるぞ。頭《ず》が高い。控えおろう！

〈京都〉という看板は、そう言っているのもおなじなのです。

黄門さまの印籠と違うのは、常にそれを見せているところでしょうか。黄門さまはお伴の者と一緒に、ふだんは葵《あおい》のご紋などまるで無縁のように振る舞っておいて、ここぞというときに印籠を取り出して見せつけるのですが、〈京都〉という看板は包み隠すことなく、常に人目に触れるようにしているのです。

これからお話しする〈京都〉という看板には、実は二種類あるのだということを、頭に入れておいてください。ひとつは目に見える看板。もうひとつは、目には見えないけれど、ずっとどこかに掲げられているものです。最初に、目に見える看板のほうのお話をしましょう。

さて、京都の街中を歩いていて、なにか気になることはありませんか。どこかしら、ほかの街と違うなぁ、ということが。

たとえば東京なんかと比べるとよく分かるのですが、京都の街なかほど、自分の土地の文字があふれ返っているところは類を見ません。街なかに〈京〉の文字があふれ返っているのです。

お豆腐屋さんの前には〈京豆腐〉、八百屋さんの前には〈京野菜〉、お漬物屋さんは〈京漬物〉、和菓子屋さんは〈京菓子〉。最近ではお肉屋さんまでもが〈京都肉〉と書くようになりました。

そしてそれらは当然ながら飲食店でもおなじように目立ちます。

お店の看板や暖簾《のれん》に〈京〉の文字が躍っています。京料理、京割烹、などに加えて、メニューを見ても、〈京〉の文字がちりばめられています。食材や料理名など、いろんなところに〈京〉が付いています。

これが目に見える〈京〉の看板だとすれば、お店の立地や造りそのものが〈京〉の見えない看板です。文字こそ書いていないものの、まごうことなき〈京〉の看板。それは路地奥という立地や、町家造りのお店です。

前者の、目に見える〈京〉の文字看板は、どちらかと言えば京都初心者向けで、後者は京都熟練者向けだと思います。

京都好きの方が京都を訪れたとして、まだ回数を重ねておられない方が引き寄せられるのは〈京〉の文字が入った看板や暖簾、料理です。いっぽうで、京都熟練者は目に見える〈京〉を卒業し、目には見えない〈京〉を目指します。

うっかりすると通り過ぎてしまいそうな路地の奥に佇む店。そこへと誘う路地には行燈《あんどん》が灯り、石畳が続きます。突き当りの格子戸をがらがらと引けば、やわらかな京言葉が客を迎えます。

——おこしやすぅ。ようこそ

〈京〉の文字こそないものの、これぞ京都ですね。舞台装置が看板の役割を果たしているとも言えますが、〈京〉という文字のあるなしにかかわらず、京都のお店は〈京〉の看板が目印になって客を誘います。

土地そのものを看板にして商いをするところなど、京都のほかにはないだろうと思います。大阪の店が〈なにわ名物〉と銘打ったり、名古屋の店が〈名古屋メシ〉と名付けることはあっても、看板や店の佇まいだけで、その土地を表現できるのは京都ならではのことでしょう。

それを生かせば飲食業の商売繁盛はほぼ間違いなしです。京の美食力には、かの格付けガイドブックも惑わされるほどです。

2. 京の美食を生み出す力

トラックで京都の水を取り寄せる東京支店

ぼくが一番最初に書いた京都本は『京料理の迷宮』（光文社新書）でした。京料理だけではなしに、本章とおなじく、京都の食はなぜ美味しいのかを解き明かそうとした内容でした。

この本を出版したのは二〇〇二年の秋ですから、二十年近く前になりますが、振り返ってみて大きく変わっていないことにあらためて驚きます。千二百年を超える都ですから当たり前と言えば当たり前なのですが。

当時も今も、ぼくは本を書くためにわざわざ取材らしきことはいっさいしません。料理人さんにインタビューすることもなければ、本のなかでお店を紹介するのも事後承諾です。事前に許可を申請した場合も、掲載を拒否されることも少なくありませんでした。手放しで絶賛することはめったになく、なにかしらの提言や苦言も書いてきたからです。

それはさておき、本を書くときのために、お店へ食事に行った際、それとなく料理人さんに訊ねることはよくあります。

微《び》に入り細を穿《うが》つ、ことまではしません。あくまでふつうの客としての疑問や、興味の湧いたことを訊ねるのです。と言っても、質問するというのではなく、感想を洩らしながら、料理人さんの反応を窺《うかが》う、といったふうです。

――このお椀は本当に美味しいですねぇ。お腹にもですが心に沁《し》み入りますよ

ひとり言のような、そんな感想を耳にしてなにも反応されない料理人さんなどおられるわけがありません。かならずなにか応えてくれます。

――おおきに、ありがとうございます。お椀は日本料理の華でっさかい、特に気合入れて作らせてもろてます。上等のお昆布といろんな魚の節を使うて、ていねいにお出汁を取ってるさかい、自然と美味しいなりますんやろ

――でしょうね。最高級の昆布や鰹節を使うなど、家庭ではとても真似できません。つい

出汁の素を使ってしまいますしね
——けどね、一番だいじなんは水でっせ。京都の料理はお水が命ですわ
——どんなお水を使っておられるんですか？
——梨の木はん（梨木神社）とこで汲ませてもろてますねん
——やっぱりそうでしたか

といったやり取りでした。

話のなかに出てきたように、お出汁を取ることに力を注いでいるのは、京都の日本料理人さんみなさんに言えることですが、水の力に助けられているとも、口を揃えられます。

とある京都の有名日本料理店が東京に支店を出したときの話は、逸話としてよく知られています。

京都の本店の常連だったお客さんが東京の支店を訪れ、お椀に口を付けて主人にこう言ったそうです。

——東京だからと言って手を抜いちゃいかんな。京都とおなじ材料を使って出汁を取らな

きゃ

本店とおなじ材料を使って、おなじやり方で出汁を取っているのに、と主人は怪訝《けげん》に思いながらも、常連のお客さんの言うことなので、無視するわけにはいきません。念入りに味見をしてみると、たしかに微妙な違いがある。

東京の水道水を浄水器に通していたのが、味の違いを生んだことに気付き、それ以降は京都からわざわざトラックで水を運ぶようにしたそうです。

東京と京都では地質が違うために、硬度も異なるのです。東京の水は硬く、京都の水は軟らかい。昆布の旨みを引き出すためには軟水のほうが向いている。その違いが味に出るのですから、たかが水だと言って侮《あなど》ってはいけないのです。

水道水でもOK

なぜ京都の食が美味しいか。その原点とも言えるのが水です。

東、北、西と三方を山で囲まれた京都盆地は、ことのほか水に恵まれています。

三方の山に降った雨が土でろ過されて都大路へと流れてきます。その水が洛中にまで及び、地下水として縦横に張り巡らされるのですから、井戸を掘れば軟らかい水を汲むことができます。

むかしと比べると保健所の規制が厳しくなりましたから、少なくはなりましたが、それでも今も井戸水を使っているお店をよく見かけます。特に多いのはお豆腐屋さんですね。お豆腐はほとんどが水でできていますから、水の良しあしが豆腐の味を決めると言います。

それだけではありません。京都盆地の地盤には地中深くに巨大な水がめがあって、その水が長い歳月を経て浅い地層にまで染み出てくるのだそうです。その水がめは琵琶湖とおなじぐらいの水量を保っていると言いますから、なんとも頼もしい話です。

そして、ただ水量を誇るだけでなく、京都の地質によってミネラル分の少ない、軟らかい水になるため、美味しい食が生まれるのは当然の理なのでしょう。

ふつうならこれで水は安泰だと考えるのですが、京都の水に対する思いは自然だけに頼らず、人工的な手段を使って水を潤沢に使えるようにしようとします。

琵琶湖疏水がそれです。

天皇さまが京都から東京へ移られたことで、大きく落ち込んだ京都人の心を奮い立たせようという意図もあったと聞きますが、琵琶湖から京都へ水を引くという世紀の大事業は、限りない恩恵を京都にもたらしました。

ライフラインの要とも言える水について、心配する必要がほとんどなくなったというのは、人々の暮らしにおいて大きな安心感を与えてくれました。現にぼくが生まれてから今日まで七十年ちかくのあいだ、水不足で悩まされた経験がまったくないのですから。

そしてこの琵琶湖疏水の最大の特色は、地下水と遜色がないほどの良水だということです。もちろん上水道の装置あってのことでしょうが、水道水を使う料理屋さんも少なくないほどいい水なのです。

京豆腐の名店として知られる『とようけ屋山本』の豆腐も、水道水を使って作られていると聞いて驚いたことがあります。

京豆腐が美味しいのは井戸水を使っているからだと思い込んでいたぼくには、大きな驚きでしたが、京都の水道水を見直す良いきっかけにもなりました。

三方の山々を通して湧き出る水、地中深くに貯えられた水に加えて、琵琶湖疏水によって流れ出る水と、盤石《ばんじゃく》とも言える態勢を整えていることで、京都はその水を使って美食を生み出しているのです。

都人の厳しい言葉が料理人を鍛える

京都の美食を生み出すのが京の水なら、それを育てるのは都人です。都人の育成力によって美食に磨きが掛かるのだということは、存外見逃されがちですが、これが近年危うくなっていることを深く憂慮しています。

古くから京都には旦那衆というひとたちがいます。

主には花街で使われる言葉ですが、芸妓や舞妓を贔屓して成長させていく役目を務めます。もちろんそこは男性ですから、惚れたはれたの世界でもありますが、結果としてそのおかげで舞妓が育っていくのですから、花街にとってはきわめてたいせつな存在です。

旦那衆がただの客と少しばかり異なるのは、育て上げるという意識を持っていることだろうと思います。

文字どおり身銭を切って花街で遊ぶことによって、舞妓や芸妓、ひいてはお茶屋や、そこに関わるひとびとの暮らしを支える助けとなります。

それゆえ甘い言葉ばかりではありません。時には厳しい言葉も投げかけるのが旦那衆の役目です。

旦那衆は料理屋さんに対しても、花街とおなじ姿勢で接します。ひいきの店に足繁く通い、時にほめそやし、時に苦言を呈し、店を、料理人を育てるのです。

――なんぞ心配ごとでもあるんか？

割烹Aのカウンターで、常連客が支払いをしながら主人に言葉を掛けます。

――相変わらず鋭いですなぁ。今夜の料理はお気に召しまへんでしたか

主人が深いため息をつきました。

――腑抜《ふぬ》け、っちゅうのはこういうことを言うんや。料理に魂がこもっとらん。性根を入れて料理を作れるようになったら連絡くれるか。それまでは遠慮しとくわ

常連客は引導を渡して店をあとにします。

思い当たる節がある主人は、ひと言も反論できずに黙ってその背中に頭を下げ続けます。そのころ割烹Aはうなぎのぼりの人気に乗じて、祇園町に支店を出す手はずを整えているところでした。身体はひとつしかありませんから、二番手に店をまかせるしかありません。そこで二番手に料理をまかせてみるのですが、なんともおぼつかないのです。それどころか店をまかせるのなら店長手当が欲しいと要求してくる始末。

店長手当を要求するなら、それにふさわしい腕を早く身に付けろ。そう注意すると、あっさりその二番手は店を辞め、あろうことかライバル店へ移ってしまいました。

支店の工事はすでに始まっていて、今さら引っ込みがつかない状況になっていました。大きな借金を背負うことになってしまったのに、いまだにその店を仕切る料理人が見つからず、主人は日々思い悩んでいました。いつもとおなじように料理を作っているつもりでも、なにかしら抜け落ちているのでしょう。一見客はごまかせても、常連客の舌はだませません。主人は、支店計画を打ち明けたときに常連客がぼそっとつぶやいた言葉を思い出して、唇を嚙みしめました。

——あんなぁ、屏風《びょうぶ》と店は広げたら倒れるんや。分をわきまえて小ぢんまりしとったら、

少々の風が吹いても倒れん

あの言葉をまっすぐ受け留めておけばよかった。そう後悔した主人は、違約金を支払って最小限の被害で再出発することができました。これをして、京都美食の育成力とぼくは呼んでいます。

これと似たようなことは幾度となく目にしてきました。言うほうも聞くほうも、無難な話がいいに決まっています。他人に対して苦言を呈するのはなかなかできないことですが、たいせつに育てたいと思っているからこその苦い言葉で、見込みのない料理人に対してはスルーする冷たさも京都の旦那衆は合わせ持っています。

Bというお鮨屋さんのカウンターで知人の学者Cさんと隣り合わせの席になりました。食通としても知られ、地元の新聞にときおり食のエッセイを寄稿しておられます。

そのお鮨屋さんはワインの品揃えも豊富で気に入って通っていたのですが、だんだん精彩を欠くようになっていました。おそらくは東京からお越しになる富裕層のお客さんたちが、平気で高額ワインを開けることで売上が急増したことが原因だろうと思います。

ワインを飲みながら静かにひとり鮨を愉しんでおられたCさんは、思ったより早くお勘定をして出ていかれました。しかし取り立てて店の主人に苦言を呈することもなく、にこやかな表情を残して出ていかれたので少し意外な感じがしました。

それから半年後でしたか。ビストロで偶然お会いしたとき、気になっていたBの鮨のことを訊きましたら、こう答えられたのです。

――高いワインを売って楽することを覚えたら、なかなかもとには戻れんみたいですな。なにを言うても無駄やと思うたんで、だまって帰りました。もう二度と行くことはないでしょう

いっときの気の迷い程度であれば進言したりしますが、別の世界へ行ってしまったと思えば、黙って去っていくのが都の旦那衆の怖いところです。

旦那衆と言っても、いわゆる大店《おおだな》の旦那だけでなく、先に挙げた学者さんや弁護士、お医者さん、お坊さんなど、その職業は多岐にわたりますが、総じてお金にあかせてではなく、真摯《しんし》にお店や料理人と向き合っています。残念ながらそういうひとは減るいっぽうで、代わりに台頭してきたのが、食通気取りの富裕層や、飲食業界に食い込むことを生業《なりわい》にしている

ひとたちです。

マイナスのよそさん効果

富裕層といえども、きちんとした見識を持ち、節度を持ってお店と付き合うひとと、お金に糸目を付けず、お店と密接な関係を持つことを目的にしているひととの両方があります。前者は都人で言うところの旦那衆と相通じるものがあり、お店を育てることにひと役買いますが、後者は育てるどころか、せっかくの芽を摘んでしまうのです。

後者の特徴はとにかく絶賛することです。苦言なんてとんでもない。褒めちぎることでお店や料理人と近しくなることが最大の目的のようです。

富裕層という言い方をしましたが、海外のそれとは少し異なるのが日本の特徴のようです。ＩＴ関連やネットショップなどの、いかにも今っぽい会社のトップ、タレントさんなどの著名人が食べ歩きを通して友人となりグループを作るパターンが典型的です。

お金や名声を手に入れたひとたちにとって、京都の名店の常連となり、店主や女将と親しくなるのは、ある種のステイタスになっているのでしょう。

割烹やお鮨屋さん、創作料理系などジャンルは多岐にわたりますが、料亭にはほとんど興味はないようです。最近では洋食屋さんや肉料理専門店などもターゲットになっているようですが、このひとたちにとって必須とも言えるのは、予約が取れない、もしくは会員制のお店であること、つまりはハードルが高いことが条件となります。

うらやましがらせることが目的のひとつだからですね。ＳＮＳで言うところの、いいね！が欲しいのだろうと推測しています。

なので、まだ誰も知らない、新しいお店もターゲットになります。

さすがにコロナ禍にあって、少しはその勢いも鈍りましたが、それでも新店オープンの声はあちこちから聞こえてきます。

コロナの感染が広がる前の勢いはすさまじいものがありました。十日に一軒ほど新しいお店ができるのです。既存のお店の系列店や、どこそこの有名店で修業した料理人さんが独立をはたした店など。

それらのお店にいち早くはせ参じて、あのお店はすごいぞ、と絶賛するのがこのひとたちの大きな特徴です。お店の側もそれを承知していますから、ツボにはまるような仕掛けを施します。

映えるパフォーマンス、少人数限定、高額おまかせコース。これが三本柱です。場所は問いませんが、店の造りはあくまで高級志向です。一般庶民は相手にせず、富裕層だけを相手にするお店が、雨後の筍《たけのこ》のように京都中に出現したのは令和元年まででした。

この手のお店は地元のお客さんより、遠方からやってくるひとたちに重きを置いていますから、コロナ禍によって往来が制限されると売上げが見込めなくなってしまうのです。

独立しようとしていた若い料理人さんが修業先に留まるようになったのは、お店側にとっても想定外だったようです。

コロナ前の京都はやはり異常な状態でした。

三十代前半、十年にも満たないどころか、数年ほどしか修業していない料理人さんが独立して新しく店を開き、夜はひとり三万だとか五万円のコースだけを出す。そんなお店が開店して連日満員盛況、ひと月も経たないうちに予約困難なお店になる。これまでの京都では考えられないことでした。

最低でも十年。十五年、二十年修業してやっと独立を果たしたとしても、修業先や暖簾分けしてもらったお店より高い値段設定をするなど、とんでもない話でしたし、お店を開いて一年や二年は閑古鳥が鳴くことを覚悟しなければ、と言われたものです。

それでこそ、いぶし銀のような輝きを放つお店になるのであって、金ぴかのメッキはすぐに色あせるというのが京都の料理屋さんの常識でした。

言うまでもなく、これが〈よそさん〉によるマイナス効果でした。

こんな様子を目《ま》の当たりにすると、地道にコツコツ修業を重ねるのがばからしくなっても仕方がありません。真っ当な料理人さんが育たなくなってしまっていたのです。

コロナ禍によって、もとの道筋に戻る気配が出てきたのは、なんとも皮肉なことですね。

コロナが変えた京の美食力

京都に限ったことではありませんが、新型コロナウイルスによって、大きな打撃を受けたのが飲食業界であることは間違いありません。

そんななかで京都の美食力はどんなふうに発揮されたのでしょう。

もっとも象徴的で、かつ衝撃的だったのは、京都でも有数の歴史を誇る老舗の三ツ星料亭がラーメンを売り出したことです。

数ある三ツ星料亭のなかでも、その歴史や格式が群を抜いている店がラーメンを売り出したのですから、京都の飲食業界のみならず、都人たちのなかでも大きな話題になりました。

たとえてみれば、由緒正しき古刹が本堂にクリスマスツリーを飾るようなものですから、当然のことながら賛否両論が巻き起こりました。

——うちはめったにラーメンてなもん食べへんのどすけど、あのお店のやったらいっぺん食べてみとおす

という好意的な声もあれば、

——なんで老舗料亭がラーメン売らんとあかんのや。長い歴史に傷を付けるだけやで

という辛辣な声まで。さまざまな声が上がりましたが、売行きは上々だったようで、令和二年の八月からクラウドファンディングサイトで限定販売したら、約千食が売れたのだそうです。

その成功を受けて十一月から本格販売を開始し、ネット通販でも人気商品となったようですから同慶の至りです。

料亭で使う鯛の骨を活かして、野菜と一緒に煮込んでスープにしたと聞きますが、鯛の切

身と九条ネギ、麩《ふ》などをトッピングとしてつけたラーメンは一食で五千四百円。ふつうなら一杯数百円ほどのラーメンに、その数倍の値段を付けても人気商品になるというのですから、これぞまさに京の美食力でしょう。

これがコロナ禍の一時しのぎなのか、方向転換なのかは、まだ見極めることができません。しかしながら、いずれにせよ老舗料亭が想定外の一手を打ったことには間違いありません。これが京都の美食力なのです。

京都でお造りと言えば

京都の美食力は、突如沸き起こることも稀にありますが、多くは時間を掛けて発揮されるものです。

砂に水が染み込んでいくように、じわじわと浸透していき、いつの間にか京名物のような姿になって人気を呼ぶようになるのです。

京都は海から遠く、新鮮な魚とは縁が薄い街とされてきました。それゆえ生命力が強く輸送に時間が掛かっても鮮度が落ちない鱧《はも》や、ひと塩あてたグジの塩焼き、酢〆にされた鯖を使った鯖寿司が名物料理として発展してきたのです。

たとえばちらし寿しひとつとっても、京都のそれは海産物を多用したものではなく、カマボコやシイタケ、錦糸卵、カンピョウなどを混ぜ込んだものが一般的です。そもそもがお造りを売りものにすることは少なく、なにかしら手を加えた魚料理が京都らしいとされてきたのです。

いつのころからでしょうか。お造りをてんこ盛りにした海鮮丼を名物とする店ができはじめ、いつの間にか行列のできる人気店となったのです。

それも一軒や二軒ではなく、数軒以上ものお店が人気を競い合っているというのですから驚くしかありません。

京都でお造りと言えば、誰がなんと言おうが明石の鯛です。

三ツ星料亭の雄である『吉兆』の創始者湯木貞一《ゆきていいち》も、京割烹を今日のスタイルにまで昇華させた『千花《ちはな》』の初代主人永田基男も、明石の鯛しか眼中になかったようで、最上級の鯛をどちらが手に入れるか、いつも競い合っていたそうです。

三十年ほど前のことでしょうか。今はもう鬼籍に入られましたが、頑固一徹を絵に描いたような名割烹の主人に、お造りを盛り合わせてくれるよう頼んだら、すぐに顔を険しくされたことをはっきりと覚えています。曰く、

――お客さんのご希望やさかい、やれ言われたらやりますけど。魚市場の食堂みたいなもん、うちみたいな店で食べんでもええんと違います？　ごちゃごちゃいろんな色の造りが載ったもんは、京都の店に似合いまへん

もちろんぼくは前言を撤回して、鯛の薄造りをお願いしました。

たしかにそのとおりなのです。お造りひと皿にも明らかな氏素性《うじすじょう》を求め、淡い眺めを旨とする京割烹としては、多様なお造りが混在する猥雑さは嫌って当然だったのでしょう。

もちろん時代の変化とともに、お造りの役割も変わってきましたから、今は鯛一辺倒ということはありませんが、それでもやはりお造りと言えば鯛、というのが京都の料理屋さんの習わしであることは間違いありません。

そもそも、山盛りにするという盛りつけ方は京都には似合いません。ほかの地方では喜ばれるのでしょうが、〈てんこ盛り〉という言葉は、京都では好意的には受け取られないものなのです。したがってブームにまでなったローストビーフ丼も、決して京都らしいとは言えないのです。ですが、京都に来たらローストビーフ丼を食べねば、と行列を作る観光客が出

てきました。東京や大阪なら分かるのですが、なぜ京都でローストビーフ丼なのか。さらにはステーキ丼なるものも近年大人気になってきて、京都らしさは年を追うごとに薄れていきます。

いつの間にか京名物はランチから

この流れと時を同じくして人気を呼ぶようになったのが、海鮮丼やお造り定食で、それもほとんどがランチタイム限定のようです。

それまでさほど知られていなかった京都の食が、いちやく人気を呼ぶようになるきっかけはランチタイムから、というのが近年の流れになってきました。

いわゆるグルメブームの行き着いた先は、ランチ専門のひとたちが作り上げる人気店です。京都に限ったことではありませんが、昼も夜も営業している店では、かならずと言っていいほど、昼の価格は下がります。夜は一万円ほど掛かる店が、ランチタイムだと五千円だとか三千円で食べられるというところが大半です。

できるだけたくさんの店に行ってグルメ自慢をしたい、という方が多いのでランチは好都合です。一万円出して一軒の店に食べに行くより、三千円のランチで三軒の店に行くほうがいい。そう思われるのでしょう。

その次の段階になると千円という価格が中心になります。夜の一万円に比べるとその十倍の数のお店へ行くことができるのですから、その流れができても不思議ではありません。そこで浮かび上がるのが、先の海鮮丼やお造りの付いた定食です。

かつては業界用語だったコストパフォーマンスという言葉も、今や誰もがふつうに使うようになりました。そしてお店の価値をはかる基準として、コストパフォーマンスが重視されるようになりました。

そこで注目されるのがお造りです。

ひと口に日本料理と言っても、そのランクはさまざまです。夜の懐石料理が五万円という料亭も日本料理店なら、千円前後でお昼の定食が食べられる店も日本料理店です。お店の立地や佇まい、建築、設え《しつら》、器などの要素によってランクが分かれるのですが、ランチ専門に食べ歩く人たちには、そのあたりのことはさほど重視されません。お皿の上になにかが盛られていて、相対的に安価と感じられればそれでいいのです。

そこで海鮮丼やお造り定食です。

京都以外と言い切ってもいいでしょう。海辺でも山里でもあるいは都会でも、お造りは高価なご馳走《ちそう》とされています。今でこそずいぶんと減りましたが、かつては山のなかの宿でも、夕食にはマグロのお造りを出していて、そうしないとお客さんが納得しないと言われたものです。

テレビの旅番組やグルメバラエティ番組などでも、お造りが出てくるとひときわ大きな歓声が上がります。多くの日本人にとって、日本料理のなかで一番のご馳走と言えばお造り。すなわちメインディッシュでもあるのです。唯一京都を除いては、だったのですが。

京都における日本料理は、優れた食材をいかにして美味しい料理に仕立て上げるかが眼目なので、盛り合わせたお造りや海鮮丼のような、料理人さんが存分に腕を発揮できないものは、あまり重視されてこなかったのです。

それは客の側もおなじで、京都のお客さんはお造りが一番のご馳走だとは、まるで思っていないのです。

もうお分かりになったでしょう。安価な海鮮丼やお造り定食ランチは、〈よそさん〉へ向けてのメニューなのです。

ここで言う〈よそさん〉は京都在住者も含みます。京都に住んでおられても、〈よそさん〉的な方も少なくありません。そしてその〈よそさん〉にとっては、コストパフォーマンスがなにより大事なのです。

丼系なら、お造りや肉などでご飯が見えないことに価値が置かれ、和定食ならお造りと天ぷらがおなじ器にたっぷり盛られていて千円程度で食べられれば、人気店となるわけです。

プラスのよそさん経済効果

この傾向は観光客の方に限ったことではありません。京都に住んでいる人たちも最近では、コストパフォーマンス重視になってきました。

観光客のひとたちが行列を作っているのを見て、自分たちも、と思われるのです。あるいは最近はウェブ上にその手の情報があふれ返っていますから、先んじておこうと思われるのかもしれません。いずれにせよ、これまでの京都のパターンと違い、観光客と京都に住む人たちがおなじような行動を取るようになってきたのは想定外でした。

なぜそうなったかと言えば、答えは簡単。ＳＮＳ効果です。

フェイスブックなどにはグループがあり、京都にはとりわけ多くのグルメグループがあります。このグループには京都に住む人も〈よそさん〉も混在していて、盛んにお店の情報交換をしています。そのやり取りを見ていると、非常に興味深いことが分かります。

それは、京都に住んでいるひとたちは、〈よそさん〉に対して斜め上から目線になっているのです。

たとえば〈よそさん〉のXさんが京都を訪れて、誰もがその名を知る有名店○○でランチを食べて美味しかった、と投稿します。するとすかさず、京都在住のYさんがコメントします。

——Xさん、○○に行かれたんですね。美味しいランチでよかったです。次はぜひ△△にも行ってみてくださいね。きっと感動されると思いますよ
Yさんの言葉の裏には、「○○くらいで喜んでいるのは初心者。わたしはもっといい店を知っている」という気持ちが透けて見えますね。

こういうやり取りが日常茶飯に行われているのですが、京都在住となれば〈よそさん〉より上の立場にいなければならないという思いが強いようで、当然ながら多くの経験を積まねばなりません。

とりわけ新しくオープンした店には〈よそさん〉に先んじなければ、コメントもできない

わけですから、いち早くはせ参じて備える必要があります。

こうして〈よそさん〉に物申せるようになるため、京都に住んでいるひとたちも、これまで以上にあちこちのお店に行くようになるのです。結果、京都のお店が繁盛するようになるのですから、プラスの経済効果が生じることになります。

かつて『京都ぎらい』という本で著者が主張されていたように、京都人と、京都に住むひとは別ものとするのが一般的な考え方です。あの本の著者はそれを差別だと感じておられたようですが、ぼくは区別であって差別ではないと思っています。

これは京都に限ったことではなく、日本中どこでも、いや世界中で言われていることですね。江戸っ子、というひとたちがいて、パリジャンというひとたちがいて、ニューヨーカーと呼ばれるひとたちがいます。

それらの人々は、ある特徴というか習性というか、独特の考え方でその地に誇りを持って暮らしているのです。ただ東京に住んでいるひとたちすべてを江戸っ子とは呼ばないように、たとえ京都に住んでいても、みんながみんな京都人と呼ぶことはありません。

という前提に立てば、ほぼランチ専門でコストパフォーマンスをなにより重視し、たとえそれが京都らしくない食であっても絶賛するひとたちは、京都人ではないと言えるでしょう。

そして最近の傾向として、京都人ではない、京都に住まうひとたちの声が大きくなり、あたかもそれが京都ぜんたいのことであるように言われるようになったことが挙げられます。

その典型例が海鮮丼ランチの人気でしょう。

器に興味がないなんて、京都人ではあり得ない

当然のことですが、京都人も価格は重視します。しかしながら、この例にあるようなコストパフォーマンスとは微妙に意味合いが異なります。

京都の人はしばしば〈お値打ち〉という言葉を使います。

――こちらのおうどんはお値打ちどすなぁ。お出汁もええのん使うてはるし、お揚げさんもちゃんとお豆の味がしてますやん

――ほんまに。このごろはきつねうどんでも千円近ぅ出さんと食べられへんお店が多いさかい。器もええの使うてはるし、さりげのう季節のお花も飾ってはる。ほんまこのお店はお値打ちちゃわ

ご近所のうどん屋さんでの会話です。

品数や量が多いから、ではなく、使われている素材に引き合う価格かどうか、を問うのが京都人で、それを〈お値打ち〉という言葉を使って称賛します。

器や設《しつら》えなどにはまるで関心がなく、ただただお皿の上になにかが載っていて、それが価格以上の価値ありと思えば、いい店という太鼓判を押されてしまう。それは京都人的にはあり得ないことなのですが、客の側だけでなく、お店側にもおなじことが当てはまります。

京都の店と、京都にある店は、まるで別ものと言っていいほど違います。このことは第三章で便乗力として書きましたので、ここで詳しくは書きません。

ただ、京都の老舗料亭で腕を振るっているからといって、その料理人が京都のことに通じているかと言えば、決してそうではありません。どころか、日本料理の根幹をなしている器や季節、設えなどには興味を持たず、ただ調理法や食材にのみ関心を寄せている料理人も少なくないのです。

とある外食チェーンの社長のブログに、興味深い投稿がありました。

コロナ禍によって、飲食店ぜんたいが手痛い打撃を受けているという話のあと、こんなふうに書いてありました。

——ある日某京都の老舗三つ星和食店の東京店料理長が当社に就職応募面談、歳時記について器について質問、まるで答えられなかった。結果は採用には至らなかった。（原文ママ）

一度だけこの社長さんにお会いしたことがありますが、嘘を言うような人には見えませんでしたし、率直な物言いも印象に残っていますから、きっと嘘偽りのない事実なのでしょう。

歳時記、器、どちらも日本料理を作るには不可欠な要素ですが、それに答えられないひとが、老舗三ツ星和食店の料理長だったとは、にわかには信じられませんが、さもありなんとも思います。

おそらく、この社長さんが仰っている、京都の老舗三ツ星和食店とおぼしき店に行ったときに、疑問を感じたことがあったからです。

夜の懐石料理をいただいていて、料理も後半、焼物が出てきたときにお皿を見て驚きました。器の向きが上下逆さまなのです。

まさか老舗料亭で、という思いでしたが、料理そのものも不満の残る内容でしたので、その程度の店かなと思っていました。

三ツ星老舗料亭でさえ、この体《てい》たらくですから、ほかは推して知るべしです。かくして京都の日本料理の概念が、音を立てて崩れはじめました。

その結果が海鮮丼、お造り定食人気なのです。

飲食業界というのは、縦ばかりではなく横のつながりも強いので、こういう情報はすぐに伝わります。人気割烹でも、これまでの土鍋ご飯に加えて、小さな海鮮丼を〆に出すお店が出てきました。このスピード感はさすが京都のお店だなと感心するばかりです。

たしかにこれまでの京都の日本料理とは異なりますが、これもまた新たな流れとして呑み込んでいくのが京都の美食力だと言えるでしょう。


――海鮮丼やて？　そんなもん京都に合うかいな

と言いながら、いつの間にかそれも取り入れていくのです。

美食からは少し離れますが、京都はこういうことを繰り返して成長してきた街です。

今では当たり前のように京都駅前にそびえ立っていますが、京都タワーの建設計画が持ち上がったときは、京都の世論を二分する大論争となり、その多くは反対派でした。

——なんにも京都が東京のマネせんでもええがな。京都には五重塔っちゅう立派な塔があるんやさかい、京都タワーてなもんは要らん。目障りになるだけや

という声が圧倒的でしたが、実際に建ってみるとそんな声などなかったかのように、京都のシンボルとして親しまれています。

一事が万事、とまでは言いませんが、京都はこういう流れを繰り返してきた街です。いつの間にか、というのがひとつのキーワードです。

餃子専門店の台頭もコロナがきっかけ

海鮮丼同様、いつの間にか京名物となりつつあるのが餃子《ぎょうざ》です。

京都発祥の『餃子の王将』があるぐらいですから、もともと京都で餃子は人気を呼んでい

ましたが、突出して人気があったわけでもなく、餃子専門店はさほど多くありませんでした。

『餃子の王将』は昭和四十二年の創業ですが、それから四年後の昭和四十六年にオープンした『ミスター・ギョーザ』とともに長く二強時代が続きました。京都人が餃子を食べたくなったら、この二軒か、もしくは『珉珉《みんみん》』という街中華のお店でした。

もちろん中華屋さんやラーメン屋さんで餃子をメニューに載せている店はたくさんありますが、取り立てて餃子を名物にすることはあまりなかったように記憶しています。

老若男女、まんべんなく支持を集めている餃子ですから、多くが好んで食べていますが、それだけにブームと呼ばれるような事態はありませんでした。

しかし、コロナ禍をきっかけにして、京都では時ならぬ餃子ブームが巻き起こっています。

コロナ禍の少し前からその兆しはありました。例によってその火を点けたのは、県民食というネーミングで、地方独自の食にスポットを当てた、テレビのバラエティ番組でした。

昨日今日できた店ではなく、長く続いているお店に突如としてスポットライトが当たることがあります。東山三条近くにある『マルシン飯店』という街中華のお店がそれです。

ぼくもこのお店が好きで、何度も足を運んで舌鼓を打ったのですが、このお店の最大の特徴は、その営業時間です。

お昼前の十一時に店が開き、閉まるのはなんと翌朝の六時。京都広しといえども、これほど長時間開いている中華屋さんはまずありません。思い立ったらいつでも食べられるというのは、実にありがたいことで、ランチはもちろん、祇園で飲んだ帰り、夜中に天津飯を食べるなんてこともよくありました。

ぼくは天津飯が好きですが、唐揚げや餃子、炒飯《チャーハン》などなにを食べても美味しいお店ですから、特に意識したことはなかったのですが、このお店の餃子目当てに大行列ができるようになりました。

これをきっかけにして、京都と餃子は特別な結びつきがあるというイメージが醸成されました。となると、ほかの業種からも参入するようになるのです。

フレンチのシェフが餃子専門店をオープンしたのは、コロナ禍の第三波が起こりはじめたころでした。フレンチのシェフにもいろんな方がおられますが、このシェフは例の格付けガイドブックで毎年星を獲得し続けていますから、京都でもっとも人気の高いフレンチと言ってもいいような店で腕を振るっているのです。

フレンチのトップシェフと餃子。なんともミスマッチに思えますが、ある意味で京都ならではの業態だろうとも思います。

老舗料亭のラーメンは余技と言いますか、少しばかり目先を変えただけだろうと思いますが、店を一軒かまえるとなると、余技とは言えなくなります。それも以前はビストロだった広いお店から餃子専門店へと業態転換するのですから、一時しのぎとはわけが違います。本気で取り組む覚悟あってのことでしょう。

この餃子屋さんも老舗料亭のラーメンとおなじく、これを書いている時点ではまだ、成功か失敗かの結論が出ていませんので、なんとも言えませんが、こういう食シーンが生み出されるということそのものが、京都の美食力だと言えます。

第五章　京都の厄除力とリセット力

おごれる京都は久しからず

日本中、いや世界中を大混乱に陥れた新型コロナウイルスは、京都にも大きな打撃を与えました。コロナ以前が大盛況だっただけに、余計にその凋落ぶりが目立つのでしょう。メディアはこぞって閑散とした京都を映し出し、土産物店、飲食店、宿泊業などの観光業に携わる人たちの嘆きの声をアナウンスします。

京都がインバウンドで大いに賑わっていたころ、誰がこんな事態を予測したでしょう。我が世の春を謳歌《おうか》していた、観光業に携わる人々はいきなりの厳冬に、文字どおり震え上がることになりました。

ざっくり言えば、京都は観光産業で成り立っている街ですから、観光客が増えれば栄え、減れば衰退するのです。

JR東海のキャンペーン、〈そうだ京都、行こう。〉をひとつのきっかけとして始まった京都旅ブームは海外にも及び、長く隆盛を続けてきました。少しその経緯を振り返ってみましょう。

二十一世紀に入ってすぐの二〇〇一年、すなわち平成十三年の京都市観光調査によりますと、京都市を訪れた観光客は四千百三十二万人強だったようです。そのうち外国人観光客は、宿泊者数からの推定ですが、わずかに三十八万四千人。一パーセントにも満たなかったのです。

七年後の二〇〇八年には、京都市を訪れた観光客は五千二十一万人と、五千万人を突破し、ずっと増え続けてきたようです。そして特徴的なのは外国人観光客の宿泊者数です。九十四万人もの人が京都市内に宿泊したというのですから、七年間で二・五倍近く増えたことになります。

こうして七年間は右肩上がりに増え続けた観光客ですが、その後は景気動向にも影響されたのか、一進一退を繰り返します。

二十一世紀に入って十九年経って、元号も平成から令和に代わった二〇一九年には五千三百五十二万人の観光客を迎え入れました。驚くべきは外国人観光客の急増ぶりです。

この年の外国人宿泊者はなんと三百八十万人。二十年ほど前の十倍になったのです。

おなじ年の京都市の宿泊施設に泊まったひとの数は千三百十七万人ですから、三〇パーセント近くが外国人だったことになります。

京都に住んでいて、なんとなくその実感はありましたが、こうして数字で見てみると、あらためて外国人観光客が激増していたことが分かります。京都駅のなかは外国人だらけだと言われていたのは、あながち大げさではなかったのです。

こうして増え続けてきた観光客のおかげで、京都は大いに潤ってきたのですが、その恩恵に浴すひとは一部に限られ、一般市民にとっては生活に支障が出るほどの観光客増は迷惑でしかなかったのも事実です。

第一章でも書きましたが、オーバーツーリズムは京都の世論を、二分する事態になりました。当たり前のことですが、お土産物屋さんや、観光地の飲食店など、観光業に携わるひとたちは、もっと観光客を増やして欲しいと願いますし、それとは無関係の一般市民は、もうこれ以上観光客は増やさないでと悲鳴をあげます。どちらの言い分にも理があるだけに、行政も難しい判断を迫られることになります。

そんなせめぎ合いが続くなか、二十年後となる令和二年は未曾有《みぞう》の事態になりましたから、痛み分けといったところでしょうか。はたしてどんな数字になるのやら。

こんな数字を眺めていると、『平家物語』の冒頭の一文が頭に浮かびます。

――おごれる人も久しからず、ただ春の夜の夢のごとし。

ここからが京都力の見せどころ

今回の新型コロナウイルスの感染拡大は、誰も経験したことがないような疫病とも言われますが、実は京都は幾度となく疫病の蔓延に脅かされ、壊滅的な打撃を受けてきたのです。感染が拡大して手ひどい打撃をこうむっているのは、主に人口が密集していて、他の地域と交流が盛んな大都市です。ニューヨークやロンドン、パリなどの惨状は目を覆うばかりでした。

さかのぼって、中世の京都はまさにそんな街でした。

平安京が置かれ、長いあいだ日本の都と定められ、首都的機能をはたしてきたのですから、たくさんの人々が住み、多くの人々が往来するなか、疫病が流行すれば感染の中心地になるのは当然のことでした。

科学が飛躍的に発達した今の時代であっても、多くの被害が出ることが分かりながら防げないのですから、当時の悲惨さはどれほどのものだったか、容易に想像できますね。

医学も科学も進んでいない当時は、神さまにすがるしかありませんでした。

疫病退散、つまりは疫病を退治するのではなく、神さまの力を借りて退散させるしかなかったのです。そして神事を行うことによって、少しでも人々が安寧の時を持てるように、との思いは、祭りという形に変わっていきました。

その代表とも言えるのが、日本三大祭りのひとつである祇園祭です。

平安時代前期の八六九年、すなわち貞観《じょうがん》十一年に、京の都は疫病の大流行に苦しめられました。正確な記録は残っていないようですが、おそらく今のコロナどころの騒ぎではなかったでしょう。

このままだと京の都は廃墟になってしまいかねない。そんな危機感を官民が共有し、神さまのお力を借りてなんとかしなければ、となったのです。

神さまをお迎えして、厄除けの祈りを捧げるのに、どこが最適かと検討した結果、選ばれたのが、当時は広大な敷地を擁していた『神泉苑』です。

お公家さんたちが四季を問わず集《つど》い、舟遊びに興じるほどの広い池があり、狩場があるような深い森を広げていたと言われる『神泉苑』は、しばしば祈りの地として活躍してきました。

空海対守敏、雨乞い対決

その始まりはと言えば、弘法大師空海が行った雨乞いの儀式だと伝わっています。疫病退散を祈った儀式の五十年近く前、八二四年に京の街は大干ばつに襲われました。干ばつが続けば雨乞いの儀式、というのが当時の常道だったようです。

ただ雨乞いをするだけでは町衆の興味を引きません。ふたりの僧侶による雨乞い対決が催されたのです。

弘法大師空海に対するのは守敏僧都《しゅびんそうず》。空海は『東寺』の代表として、守敏は『西寺』の代表として戦うことになりました。

そのころの平安京には寺院はふたつしかなかったそうで、それが『東寺』と『西寺』。ふたつのお寺は、羅城門をはさんで対称的に建っていたと言います。

先攻は守敏でしたが、いくら祈禱《きとう》しても雨は降らず、十七日目になってやっと雨が落ちてきましたが、それもわずかなお湿り程度で、役に立つには至りませんでした。

続いては空海の出番です。満を持して祈禱を続けますが、こちらもいっこうに雨は降りません。自分の法力に自信を持っていた空海は、疑問を持ちはじめます。こんなはずはない。なにかおかしい。自分の法力をもってすれば、これだけ祈ったらかならず天に通じるはずだ。

そう思った空海は心眼で調べてみました。すると、守敏によって雨を降らせる龍神さまたちが閉じ込められていたことが分かりました。

そこで空海は、龍神さまのなかで、守敏の呪力から逃れていた善女龍王《ぜんによりゆうおう》を見つけだし、その竜王を『神泉苑』に勧請《かんじよう》してからふたたび祈禱を始めました。するとどうでしょう。善女龍王は池のなかから大蛇の姿になって現れたのです。たちまちのうちに、むくむくと黒雲が起こり、激しい雨が降り出し、丸三日間大雨が降り続き、まさに恵みの雨となったのです。

これが有名な『神泉苑』の雨乞い対決。これ以降、京の街に災厄が降りかかると、『神泉苑』で祈禱されることになりました。

と、話がここで終わらないのが京都の奥深さです。

京都を訪れた方々がしばしば疑問に思われるのが、なぜ『東寺』は世界文化遺産に登録されるほどの有名寺院なのに、『西寺』は影も形もないのか、です。

実はその答えが、先の雨乞い対決にあるのです。

卑怯な手段を使ってまで勝とうとした守敏は、当然ながらその人気を落とします。『西寺』を参拝するひとは激減し、このままでは廃寺になってしまいかねない。そう思った守敏は一計を案じます。空海さえいなくなればいいのだ。

守敏は手段を選ばない僧侶だったのでしょう。暗殺しようとしたのです。日暮れて空海が『東寺』に戻ってくるのを待ち伏せしていた守敏は、南大門の陰に隠れていて、空海の姿を見つけるやいなや矢を放ちます。

と、そこへ現れたのがお地蔵さま。空海の身代わりになって矢を背中で受け止めたというのです。

異変に気付いた空海の弟子たちが守敏を取り押さえましたが、背中に矢が刺さったままお地蔵さまは倒れてしまいました。

そのお地蔵さまは今も残っていて、羅城門跡近くに〈矢取地蔵《やとりじぞう》〉として祀られています。

そして二度までも卑怯な手段を使い、空海暗殺まで企てた守敏の人気は地に落ち、それにつれて『西寺』も寂れてしまい、ついにはその姿を消してしまったのです。

雨乞い祈禱が行われた『神泉苑』、そこで勝利を収めた空海が遺した『東寺』、その陰で暗躍した守敏が放った矢を受け止めた〈矢取地蔵〉。それらすべてが今も見られるというのが、京都の強さだろうと思います。第一章で〈見えざる力〉として、ないものをあるように見せるのが京都だと書きましたが、その片鱗《へんりん》は垣間見ることができるのです。

当然のことながら、今の時代に雨乞いなど行われませんが、『神泉苑』を訪れ、池に架かる橋を渡れば、雨乞いの場面や龍神さまが変身した大蛇が目に浮かんでくるから不思議です。

どんなに偉いお坊さんが祈ったからといって、突然雨が降り出すわけはありません。現代の気象予報士なら、天気図の気圧配置などを分析し雨雲レーダーを駆使すれば、雨の降り出す時間を予測して、それに合わせて祈禱するようなマジックを使えるかもしれませんが、そんな知識も情報もないなかで、ただただ祈ったとしても、雨を降らせることなど到底無理な話です。

などと言ってしまえば身もふたもないのではありますが。

祇園祭は厄除け祈願の祭り

話を祇園祭に戻しましょう。

京都の夏を彩る最大の行事である祇園祭。その起源は九世紀後半にまで遡ります。

貞観年間と言いますから、西暦で言うと八五九年から八七七年までのあいだ、京の街は疫病の大流行に見舞われます。疫病というものは、コロナに例を引くまでもなく、狭い地域だけに留まるものではありませんから、きっと日本中に蔓延していたのでしょう。ましてや京都は都ですから人の往来も激しかったでしょうし、今の東京都のようにほかの土地に比べて感染者の数も多かったと思います。

加えてこの貞観という時代は、疫病のみならず大きな災害に見舞われたときでもあります。有名な貞観地震をはじめとして、富士山や開聞岳《かいもんだけ》は噴火するわ、応天門は炎上するわ、日本中は大混乱に陥ったと伝わっています。

そんな呪われたような世のなかをなんとかせねば、となり、苦しいときの『神泉苑』頼みとばかり、当時の国の数とおなじ六十六本の鉾《ほこ》を境内に立て、疫病退散を祈ったことが起源となって祇園祭が始まったのです。

鉾を立てるだけでなく、祇園社の神輿をかついで練り歩く〈祇園御霊会《ごりょうえ》〉と呼ばれる神事はその後、疫病が流行する度に行われたと記録が残っていますから、きっと効果があったのでしょうね。

その後は年々盛んになっていき、参集する都人が多くなり、南北朝のころには今の祭りの原型である山鉾巡行が行われるようになります。

そして祇園祭で授与される粽《ちまき》が厄除けのシンボルとなったのには、ちょっとした逸話があります。

そのむかし、巨旦将来《こたんしょうらい》という男の家に旅人の身なりをした牛頭天王《ごずてんのう》が訪ねてきます。牛頭天王というのは、祇園社の主祭神でスサノオノミコトのことだという説もあります。

巨旦は裕福な暮らしをしていましたが、一夜の宿を借りたいと申し出た牛頭天王に、自分は貧しい暮らしだからと断ります。

やむなく巨旦将来の兄である蘇民将来《そみんしょうらい》を訪ねると、貧しい暮らしぶりながら快く迎え入れ、精いっぱいのもてなしをします。

牛頭天王というのは、悪事をこらしめ弱きを助く神さまですから、嘘をついた巨旦をこらしめ、旅人を手厚くもてなした蘇民将来にほうびを与えます。

それが〈蘇民将来子孫也〉と記した護符だったと言われ、その護符を付けた粽が厄除けになるとされています。蘇民将来の子孫だと言えば疫病にも罹《かか》らず、災厄から逃れられる。ちょっとズルい気もしますが、京都の町衆は粽を玄関の軒先に飾り、蘇民将来の子孫だと言っているのです。

ということで、祇園祭はともすれば山鉾巡行や、宵山《よいやま》などの目立つ行事に目が行きがちですが、本来は疫病退散を願う神事だということを忘れてはいけませんね。

コロナ禍でありとあらゆる行事が延期、もしくは中止され、山鉾巡行や宵山の行事も中止されましたが、疫病退散を願う神事を止めるわけにはいきません。令和二年も祇園祭の中核を担う神事だけは滞《とどこお》りなく行われました。

第二波、第三波が襲ってきても、京都は比較的感染者数が少ないのも、祇園社、今の『八坂神社』の神事が行われたからだと、鉾町の町衆は胸を張っています。

疫病流行を逆手に取る――手水舎はいかにして生まれたか

こうして疫病が流行して悲惨な状況に陥っても、それを神事を通して祭りに変え、やがてそれが一大イベントとして観光産業に寄与する結果となるのですから、京都という街は、ピンチをチャンスに代える力に長けているというか、転んでもただでは起きないところなのです。

逆手に取る、とも言えるこの力は今回のコロナ禍でも発揮されました。それがお寺や神社の手水舎《ちょうずや》です。

お寺や神社を参拝する際、まず最初に立ち寄るのが手水舎です。水で手を浄《きよ》め、口をすすいで邪気を祓《はら》うのですが、これができたきっかけも疫病の蔓延だったことは存外知られていません。

実在した可能性のある最も古い時代は、崇神《すじん》天皇の時代ですから、三世紀の後半になるでしょうか。日本中で疫病が大流行します。感染は広がるいっぽうで一向に治まる気配が見えないことに心を痛めた崇神天皇は、感染を防ぐ手立ては手洗いとうがいだと気付きます。

それを励行《れいこう》すれば、かならず感染拡大は防げるのですが、なかなかその習慣が人々のあいだに広がりません。

一計を案じた崇神天皇は神社やお寺など、ひとが多く集まるところでそれを習慣付けようとして、手水舎の設置を命じたのです。

天皇の命令ですから守らないわけにはいきません。日本中の神社やお寺が速やかに手水舎を設置したのは言うまでもありません。

ただ手水舎を作っただけでなく、その作法までも一緒に広めたところが崇神天皇のファインプレーでした。

まず右手に持った柄杓《ひしゃく》で左手を浄めます。次に柄杓を左手に持ち替えて右手を浄めたら、もう一度柄杓を右手に持ち替えて、左手で水を受け、口をすすぎます。このとき柄杓を直接口に付けないと定めたのも、実に理に適っています。

そして最後に柄杓を浄めて、感染予防を図ったのです。三世紀の後半にこんな形で感染予防対策が日本全国に広められたのは驚嘆に値します。諸外国に比べて日本の感染者数や死者数が少ないのは、ひょっとすると崇神天皇のおかげで、手水舎を通して、手洗いやうがいの習慣が日本人の身に付いているからかもしれません。

しかしその手水舎にも別の役割を演じさせるのですから、京都の復元力はただものではありません。

花手水の危うさ

先に書きましたように、手水舎は本来、疫病の蔓延を防ぐために設置されたもので、感染予防にそれなりの効果を上げてきたものです。しかしながら現代の科学をもってすれば、その手水舎さえもが、感染拡大につながる恐れがあるとされました。

はっきりとしたエビデンスがあったわけではありませんが、多くのひとたちがおなじ柄杓を使うことや、手水鉢に水が溜められていることから、感染が広がりそうに思われたのでしょう。

お上の通達があったのかどうかは分かりません。ほとんどすべてのお寺や神社が手水舎の使用を禁止することにしました。

ロープを張って手水舎を使えなくするのは、たしかに殺風景ではありますが、まさかそこに花を入れて飾るとは思いもしませんでした。

コロナ以前からその傾向はありました。若い僧侶さんらは手水舎の本来の意味合いをご存じないのか、映えればいいとばかり、手水舎に花を入れてブログで宣伝していましたが、危ういことだなと思って見ておりました。

一見美しく見えてしまいますが、少しでも生花の経験があれば分かるとおり、花や葉っぱ、茎には雑菌が付いています。菌が付着した水で手を浄めることになってしまうのですから、手水舎は用をなさなくなってしまいます。

コロナ禍で使用中止になっているからいい。きれいな花が飾ってあれば少しでも心が和むではないか。そういう考え方もあるかもしれませんが、手水舎の本来の役割をご存じない方がこれを見て勘違いされないかと気に掛かります。

それにしても京都のお寺さんは本当にたくましいと思います。使えなくなった手水舎をひと集めに応用されるのですから、商売上手だと言えば言葉が過ぎるでしょうか。

京都人の心情としては複雑な心境ですが、アゲインストに立ち向かうための方策としては、ある意味で京都らしいと言えるでしょう。

京の厄除力の原点は鬼門除け

当時はもちろん、今の時代になっても雨乞いや厄除けの神事を笑い話にしないのが京都という街です。たとえ迷信と言われようが、京都のひとたちがたいせつに守り続けている風習に鬼門除けがあり、これこそが京都の厄除力の原動力になっていると思います。

鬼門とは文字どおり、鬼が出入りする門口のことです。と、ここでもう迷信だと言われそうですね。そもそも鬼などという存在を信じているひとなどおられないでしょう。それは京都のひとたちもおなじです。しかしながら、鬼門という位置には非常に気を配りますし、鬼門除け、もしくは鬼門封じは今の時代の京都でも多くの家々やお店、会社でも行っています。

鬼門というのは丑寅《うしとら》の方角です。なぜかと言えば、鬼は牛の角を生やして、虎の下ばきをいているからです。これを、なんだバカバカしいと思うか、なるほどと思うか、で考えが分かれますね。おおかたの京都のひとたちは、なるほどとうなずくのです。

鬼がやってくるのは丑寅、すなわち北東の方角だと決めてしまえば、あとはどう対処するか、だけなのである意味楽ちんです。
住宅ローンを駆使して、狭いながらも愉しい我が家を建てた経験がありますが、設計士さんの口から再三にわたって鬼門という言葉が出たことに驚いたのを覚えています。
――ここは鬼門やさかい、白砂入れておきましょう
――こっちは裏鬼門にあたるので、お手洗いは作らんほうがええでしょ
子どものころから、祖父母がよく口にしていたので、鬼門がなんたるかは承知していましたが、理系である設計士さんが、鬼門を考えに入れて家を設計されるとは思いませんでした。
鬼は不浄なので、清浄を嫌うから鬼門は絶えず清潔を保たなければいけない。したがって洗面所や台所など水回りの設備は北東に造らない。むかしからの京都の家はそんなふうに作られています。
鬼門はもちろん家のなかだけでなく、敷地にも及びますから、その東北の角と南西の角には気を配ります。

厄除力は繁栄力へ

子どものころに、道に迷ったときに方角をたしかめる方法を祖母から教わりました。

——京都の家っちゅうのはな、鬼門に柊《ひいらぎ》やら南天を植えてはるんや。柊て言うたらクリスマスに飾るさかい知ってるやろ？　とげとげのある葉っぱやさかいすぐ分かる。ほんで南天はこんな赤い実がなる木や。葉っぱはな、お赤飯に添えてある、あの葉っぱや。よう覚えとき。鬼門は北東の方角やで

鬼が絡むような、こういう話は子どもにも興味があるので、忘れることはありません。ほかの植物はさておき、柊と南天の木を早くから覚えるのが京都の子どもです。

柊の木は葉もとげとげですが、枝にも棘《とげ》があるので、鬼はその棘で大きく見開いた目をやられます。南天は魔除けになる赤い実で鬼を追いはらいますが、もうひとつ、難を転じるという意を含むという言葉遊びも掛けています。

郊外の新興住宅地では見かけないかもしれませんが、京都の中心地、とりわけ洛中と呼ば

れる街の家々には、かならずと言っていいほど、鬼門除けの柊や南天が植わっています。比率で言えば今の時代でも五軒に一軒はあるはずです。

こうして京都では、子どもでも鬼門という概念を知り、かつ迷子にならないような手立ても教わるのです。もちろんそれは京都の道筋が碁盤の目になっているからでもあるのですが。

中国長安の都に倣い、平安京は碁盤の目のように規則正しい道筋を形成しました。これは京の都が発展を遂げるのに大きな役割を果たしました。都が栄えるにはひとの往来が不可欠ですが、碁盤の目になっているとひとが行き来しやすくなり、商いも繁盛します。道に迷う怖れも少なければ、子どもだって遠くまで足を延ばせますから、幼いころからおつかいに行けます。

そのための方策として、京都には通りの名前を覚えるためのわらべ歌があります。

♪　丸竹夷二押御池　姉三六角蛸錦　四綾仏高松万五条
（まるたけえびすにおしおいけ　あねさんろっかくたこにしき　しあやぶったかまつまんごじょう）

ご存じの方もおられると思いますが、これに節を付けたわらべ歌を、京都の子どもは小学校に上がる前に覚えます。東西の通りを丸太町通から順に南へ、五条通までを歌うことで、中心街の通りを覚えます。

京都は北から南へゆるやかに傾斜していますから、南北の区別は付きやすく、また先述した鬼門を目印にして方角を見極められますから、わらべ歌と合わせれば、迷子になる恐れはほとんどなくなります。

出歩くことが容易になれば、寺社仏閣や商店などに行く機会も増えますから、知識も豊富になるとともに暮らしが豊かになります。

鬼門の鬼というのはただの象徴です。身に降りかかる災厄全般を、鬼という言葉で表しているわけで、すなわち鬼門というのは禍門《わざわいもん》と言い換えることができます。鬼門除けという厄除力は街の繁栄にもつながるというわけです。

京都人の「疑う力」

第三波と言われる感染期に見舞われたころ、地元の京都新聞に興味深い記事が出ていました。そのタイトルは〈京都のコロナ感染者、なぜ少ない？〉でした。

その記事が出る少し前にも、関西ローカルの報道番組でも話題になっていました。大阪や兵庫に比べて、京都のコロナ感染者が少ないのが不思議だと。毎日発表される新規感染者の数が、大阪や兵庫は連日三桁なのに、京都は決まって二桁で、どうにも納得がいかないという話でした。

ちょうどＧｏＴｏトラベルキャンペーンが盛んになったころで、京都にはおびただしい数の旅行者が連日訪れていました。コロナ禍で閑散としていた京都の観光地は、例年以上の人出で、どこも密状態を余儀なくされていたのです。

その様子を見れば、きっと京都はこれから大変なことになる。東京からの観光客も大勢来ているようだから、東京並みの感染者数になるに違いない、誰もがそう思っていました。

新型コロナウイルスの潜伏期間は長くて二週間と言われていますが、例年以上に混雑した三連休から二週間経っても、京都の感染者数は一日平均五十人程度でした。

どう考えても不思議です。ということで先述の記事になったわけですが、その記事のなかでは明確な答えはなく、謎のままで終わっていました。

さて、ここから実に京都らしい展開になりました。記事に対して大きな反響があったようですが、その多くが京都市民から寄せられた疑問というか、不信だったのです。

――そんなはずないやろ。感染者数をごまかして発表してるんと違うか？
――検査の数を減らしてるんやで
――誰も信用してまへんやろ

聞こえてくるのはこんな声ばかりなのです。匿名ばかりではありません。京都市議会で市議がこんな質問をしたというのです。

――ちゃんと検査したのかといった噂が流れている

京都新聞は翌日の記事で、このことを紹介し、〈感染者数隠ぺいない〉という京都市の回答を見出しにあげました。

なんとも京都らしい話だと、ただただぼくは感心するばかりでした。
ふつうの府県なら、自分たちのところの感染者数が少なければ、純粋に喜び、誇りに思うのでしょうが、京都のひとたちは、まず疑ってかかるのです。つまりはお上の言うことを鵜《う》呑《の》みにしないという習性の表れだと言えるでしょう。反骨精神、と言うのとも少し違います。よく言えば冷静、悪く言えば冷淡。お上であれなんであれ、すぐには信用しないというのが京都人の習わしで、これもまた京都力の一端なのです。

こういうときに京都人の勘はたいてい当たります。

どんな神さまとて、京都だけをウイルスから護ることなど、できようはずがありません。案の定というか、予想どおりというか、第三波が猛威を奮いはじめた令和二年の歳末になって、京都も日ごと感染者が増えていきました。

東京や大阪、愛知などの感染者数は連日三桁でしたが、長く京都は二桁を保っていました。それゆえ京都は感染者が少ないと思われていたのですが、あっさり三桁を数える日が出てきたのです。

それまでのニュースがうそのように感染者が急増すると、都人たちはしてやったりとばかりに、それを話題にします。

――やっぱりな。そうやと思うてたんや。京都に城壁があるわけやなし、大阪と京都を行き来してるひとがようけおるのに、京都だけがうつらへんはずないがな

――ほんまどすな。府県境やて言うても囲いもおへんし、あっちゃこっちゃといけいけどすもん。京都のひとはおっとりしとぉすさかい、ほかより遅いだけどすわ。すぐに追いつかはりますて

まるで他人事のように言い捨てるのも、京都人の得意とするところです。見方を変えれば、それぐらい冷静だと言うこともできます。

それは少し横に置くとして、このふたりの会話に出てくる城壁、囲いという言葉に注目してみましょう。

御土居という隔壁

かつて京都に〈御土居《おどい》〉というものがあったのをご存じでしょうか。

天下統一を成し遂げた豊臣秀吉が、天正《てんしょう》十九年、京の街をぐるりと取り囲む土塁を築き、それをして〈御土居〉と呼んでいます。

四百年以上も前に築かれた〈御土居〉ですが、その痕跡は今も京の街のあちこちに残されていて、その様子を目の当たりにすることができます。とりわけ『北野天満宮』近くの〈平《ひら》

野《の》御土居〉などは、往時の姿を彷彿させる形で残っていますから、一度ぜひご覧になってください。

総延長は二十二キロ以上もあったと言われ、北は鷹峯《たかがみね》、西は紙屋川、南は九条、東は鴨川と定め、台形の土塁と堀で城壁らしきもので京の街をぐるりと囲んだのです。

そしてこの〈御土居〉には出入口が設けられ、それを〈京の七口〉と呼びました。今もそれは地名に残っていて、鞍馬口《くらまぐち》や粟田口《あわたぐち》などがよく知られています。

わずか三か月の工期でこれほどの土塁を築いたのですから、よほど急ぐ理由があったのでしょう。

その目的は秀吉自身が語ることがなかったので、さまざまに憶測されています。

外敵の侵入を防ぐための防衛説や、洪水による浸水を防ぐためという治水説、洛中と洛外を区別するための境界説、などいくつかの説がありますが、いまだ確定には至っていません。

土塁の高さは最高でも三十六メートル、低いものだとたった三メートルだったようですから、外敵の侵入を防ぐためであれば、少々心もとないですし、浸水とて防ぐわけにはいかなかったと思います。

平野御土居

洛中と洛外を分けるためというのも、いささか説得力に欠けます。戦乱によって荒廃した京都を復興するための優先順位を明らかにするため、洛中と洛外を分ける必要があった、という説もあるようですが、それにしてはエリアが偏っていますし、狭すぎるような気もします。

ただ、〈御土居〉のなかを隔壁で守ろうとしたことだけは間違いないでしょう。でなければ、わざわざ京都が一番寒い一月から三月に急いで工事をする必要はなかったと思います。

では、何から守ろうとしたのでしょう。リアルな外敵でも水害でもないとすれば、目に見えない敵、つまりは疫病をはじめとする天災を中心とした災厄から洛中を守ろうとして、〈御土居〉を造ったのではないでしょうか。

天正時代と言えば戦乱はもちろんですが、大火や地震などの大きな天災にも再三見舞われたときです。当然のこととして疫病流行もあったはずです。

さらに天正十年には歴史上の大事件とも言える〈本能寺の変〉が起こっています。混乱が続き、明日なにが起こるか分からないという、言い得ぬ恐怖を覚えた秀吉は、都ぜんたいのお守りとして〈御土居〉を築いた。ぼくはそう推測しています。

私事で恐縮ですが、ぼくが通っていた加茂川中学校は〈御土居〉に隣接していることでよく知られていますし、今こうして執筆しているデスクの真下には〈御土居〉があります。それを間近にしていると、なぜか心が安らぐのです。

ただの土塁だと言えばそれまでですが、布袋に入っているただの札もお守りと思って安らぎを得ているのですから、それとおなじでしょう。

〈御土居〉は洛中を守るために築かれた。そうぼくは納得しています。

街ぜんたいを守るためのお守りが必要なほど、京の都は常に災厄に遭ってきました。

都人はあけすけに物を言い、平然としているようですが心中は穏やかではありません。疫病だけでなく、大火や戦乱など、京都が滅亡するのではないかと思われるほどに、手痛い災厄に幾度となく遭ってきた都人は、実際にその経験はなくともそれらがＤＮＡに刷り込まれています。

大きな変事が起これば、神さま仏さまの分け隔てなどせず、無事を祈ることに多くの時間を費やすようになります。それには祈りの場が多ければ多いほどいいわけで、京都の街に寺社仏閣が多いのはそれゆえのことだと思います。

天変地異が起こるたびに、祈りを捧げての神頼み。その逸話が多く残されているのが京都という街で、その名残がどこかしら、なにかしらにあって、それがまた京都観光のスポットになったりするのですから、これもまた輪廻転生《りんねてんしょう》のひとつなのでしょう。

京の復元力――「天明の大火」からのスピード復興

こうして幾度となく難局を乗り越えてきた京都の街ですが、そこにはひとの手も及ばない、目に見えぬ力が働いているように思います。これが京の復元力です。

疫病、戦乱、そして大火。主にこの三つの災厄に見舞われたことで、京の街は何度も壊滅的な打撃をこうむりましたが、その度に復興を遂げてきました。

阪神・淡路大震災や東日本大震災などを経験したひとたちは、災害そのものはもちろんですが、そのあとの復興が大変なことだと実感されただろうと思います。

復興に時間が掛かるのは当然なのですが、京の都はそのスピードが抜きんでて速かったようです。

それは古《いにしえ》の人々にとっても、不思議な現象として映ったようで、さまざまな記録に残されています。

近くは江戸時代の天明《てんめい》の大火。一七八八年の一月に発生した大火は、おなじ年の十月に刊行された『花紅葉都咄《はなもみじみやこばなし》』という書物に、その経過や被害状況が詳しく記されていますが、まさに京の街は火の海と化したようです。

火元となったのは、鴨川に架かる団栗橋《どんぐりばし》近くの民家だったようですが、折からの北風によって、火は南へ、南へと広がっていき、『東寺』まで延焼したというのですから、なんとも恐ろしい話です。そして南だけでなく四方八方に火は広がり、御所も二条城も焼け落ちてしまいました。今の地図と重ね合わせてみると、京都の中心部はほとんど焼き尽くされたと言っても過言ではありません。

ふと頭に浮かぶのは、阪神・淡路大震災や東日本大震災直後の様子ですね。ビルが倒壊したり、津波に呑み込まれた姿をつぶさに見て、復興を遂げるのにどれぐらいの時間が掛かるだろうか、と暗澹《あんたん》たる気持ちになりました。近代化が進んだ今日でもそんなふうですから、当時はどれほどの時間を要しただろうと思いますよね。

ところが、わずか二か月後には早くも小屋が建ち並んでいたという記録が残されているのですから、驚くばかりのスピードです。

その記録を残していたのは、オランダ東インド会社から長崎に出向していたファン・レーデというひとです。

将軍に謁見《えっけん》するため江戸を訪れていたレーデは、大火の四日後に京都を通り、その惨状を目の当たりにします。きっと大震災直後のぼくらとおなじ感想を持ったことでしょう。ところがそれからわずか二か月後、おなじく江戸からの帰り路で京都に立ち寄ったレーデは驚くべき光景を目にします。

――こんな短期間にこれだけ多くの住居が再建され、これほど多くの小屋が作られるとは信じられない話だ

レーデはそう日記に記しています。

これが京の復元力。マジックと言ってもよさそうです。

京の街なかにたくさんの小屋が建ち並び、人々が明るい表情で立ち働いているのですから、腰を抜かすほど驚いたのではないでしょうか。

なにしろ天明の大火のころと言えば、文明開化のおよそ百年も前のことです。近代工業などかけらもなく、ほぼすべてが手仕事だった時代に、驚くべきスピードで復興を遂げる姿を目の当たりにしたレーデは、これが神風かと思ったことでしょう。

それほど古い話ばかりでなく、わずか百年余り前にもおなじようなことがありました。

都が都でなくなったあと

江戸から明治への移行は、日本の国ぜんたいにとっても大きな転換点でしたが、なかでも京都にとっては、天国から地獄へ真っ逆さまに落ちていくほどの衝撃的なできごとでした。

千年以上も続いた都から突如として天皇がいなくなるなど、都人は考えもしませんでした。天皇が身近なところに住んでいるからこそ都人として誇り高く生きていられたのに、その存在がなくなれば、なにをよすがにして生きていけばいいのか。ほとんどの都人はただ落ち込むばかりだったと伝わっています。

常日ごろは官を信用せず、舌鋒《ぜっぽう》鋭く批判する都人ですが、国難ならぬ都難に遭ったときだけは別です。こういうときに官民一体となるのも京都の底力です。

ミカドがいなくなった京の街を、いかにして都らしく作り替えるか。それには古きばかりにこだわっていてはいけない。どんどん新しいものを取り入れよう。そう頭を切り替えて、京都は次々と文明開化を進めていきます。

京の水のところで書いた琵琶湖疏水がその代表です。

琵琶湖疏水が京にもたらした恩恵ははかりしれません。ただ飲んで美味しいだけでなく、潤沢な水量によって京都の名園を潤します。打ち水に使って街を浄め、酷暑のときには都大路を冷やしてくれます。哲学の道をはじめ、京都のあちこちにせせらぎを作ることで人々の心を癒します。

水力発電によって発した電力で路面電車網も発達させました。京都市電は市民のみならず、観光客を誘致するのにも長年大きな役割を果たしました。

仏教、神道に加えてキリスト教も積極的に浸透させ、教会もあちこちに建てられ、それもまた京の名景として人気を呼ぶようになります。

食も然りです。

いち早く西洋式の食文化も取り入れ、フレンチやイタリアンだけに留まらず、京都のイメージを生かした京の洋食文化をも作り上げました。

中華料理もおなじですね。今では当たり前のようにして、京都中華という言葉が使われますが、それも早くから京都で中華料理を発展させてきたからです。

明治維新後の京都のことを書き出せば、きりがないほどさまざまなものが作られ、行事が行われるようになります。

文明という観点からすれば、琵琶湖疏水が筆頭格ですが、文化面から見れば『平安神宮』と時代祭が筆頭に挙げられるでしょう。どちらも今では京都を代表する神社と祭ですが、長い京都の歴史からすれば、わずか百年ほどしか経っていないのです。

たしかにミカドは東京に移ってしまわれたけれど、その東京に住まうひとたちがもっとも憧れを持つ街として、京都はわずか百年と少しで復興を遂げたのです。

日本中から、世界中からたくさんのひとが京都を目指すのは、ミカドのおわすリアルな都ではなく、日本文化の集大成を具現化しているからだと思います。

新型コロナウイルスによる疫病蔓延という災厄に対して、京都がどんなかたちで、どんなプロセスを経て復元力を発揮するのか。今後の展開に注目したいところですが、ひとつ、興味深い事実があります。

もちろんコロナ禍によって、京都が手痛い打撃を受けたことは、紛れもない事実ですが、ひとの手によって止めることのできなかった、オーバーツーリズムを食い止めることができたという面にも着目しています。

誤解を恐れずに言えば、新型コロナウイルスのおかげで、オーバーツーリズムに陥っていた京の街がむかしの平静を取り戻せたのです。

もしもあのまま突き進んでいたら、きっと京の街は取り返しの付かないことになっただろうと思います。街なかの至るところに宿が乱立し、ホテルは言うに及ばず、民泊に占領されたマンションが建ち並び、索漠《さくばく》とした街になっていたことでしょう。

観光至上主義は、いつしか拝金主義にまでなっていたことを考えると、コロナ禍によって街が浄化されたようにも思えてしまうのです。

過去の歴史が物語るように、疫病や大火、戦乱などは多くの犠牲者を出しますが、それを無駄にしないためにも、その災厄を克服するだけでなく、ひとつの教訓材料として、後世の人々への礎《いしずえ》としなければなりません。

今回のコロナ禍によっても、京都がお手本を示すことができれば、京都力はますます強靭なものになっていくに違いありません。

【写真提供】フォト・オリジナル

PHP新書
PHP INTERFACE
https://www.php.co.jp/

柏井 壽［かしわい・ひさし］

1952年京都市生まれ。76年大阪歯科大学卒業。京都市北区にて歯科医院を開業。京都関連、食関連、旅関連のエッセイを執筆。

著書に『おひとり京都の愉しみ』（光文社新書）、『京都の定番』（幻冬舎新書）、『京都の通りを歩いて愉しむ』（PHP新書）など。2008年からは小説も執筆。食をテーマにした『鴨川食堂』（小学館文庫）、『祇園白川　小堀商店』（新潮文庫）、京都をテーマにした『京都下鴨なぞとき写真帖』（PHP文芸文庫）をそれぞれシリーズ刊行。小学館主催「日本おいしい小説大賞」の選考委員も務める。

京都力

人を魅了する力の正体

PHP新書1256

二〇二一年四月二十九日　第一版第一刷

著者――柏井 壽
発行者――後藤淳一
発行所――株式会社PHP研究所
東京本部――〒135-8137 江東区豊洲5-6-52
第一制作部 ☎03-3520-9615（編集）
普及部 ☎03-3520-9630（販売）
京都本部――〒601-8411 京都市南区西九条北ノ内町11
組版――有限会社エヴリ・シンク
装幀者――芦澤泰偉＋児崎雅淑
印刷所
製本所――図書印刷株式会社

ISBN978-4-569-84910-2

ＰＨＰ新書刊行にあたって

「繁栄を通じて平和と幸福を」（PEACE and HAPPINESS through PROSPERITY）の願いのもと、ＰＨＰ研究所が創設されて今年で五十周年を迎えます。その歩みは、日本人が先の戦争を乗り越え、並々ならぬ努力を続けて、今日の繁栄を築き上げてきた軌跡に重なります。

しかし、平和で豊かな生活を手にした現在、多くの日本人は、自分が何のために生きているのか、どのように生きていきたいのかを、見失いつつあるように思われます。そして、その間にも、日本国内や世界のみならず地球規模での大きな変化が日々生起し、解決すべき問題となって私たちのもとに押し寄せてきます。

このような時代に人生の確かな価値を見出し、生きる喜びに満ちあふれた社会を実現するために、いま何が求められているのでしょうか。それは、先達が培ってきた知恵を紡ぎ直すこと、その上で自分たち一人一人がおかれた現実と進むべき未来について丹念に考えていくこと以外にはありません。

その営みは、単なる知識に終わらない深い思索へ、そしてよく生きるための哲学への旅でもあります。弊所が創設五十周年を迎えましたのを機に、ＰＨＰ新書を創刊し、この新たな旅を読者と共に歩んでいきたいと思っています。多くの読者の共感と支援を心よりお願いいたします。

一九九六年十月

ＰＨＰ研究所

PHP新書

[地理・文化]

264 「国民の祝日」の由来がわかる小事典　所 功
465・466 [決定版]京都の寺社505を歩く(上・下)　山折哲雄/槇野 修
592 日本の曖昧《あいまい》力　呉 善花
639 世界カワイイ革命　櫻井孝昌
650 奈良の寺社150を歩く　山折哲雄/槇野 修
670 発酵食品の魔法の力　小泉武夫/石毛直道[編著]
705 日本はなぜ世界でいちばん人気があるのか　竹田恒泰
757 江戸東京の寺社609を歩く 下町・東郊編　山折哲雄/槇野 修
758 江戸東京の寺社609を歩く 山の手・西郊編　山折哲雄/槇野 修
845 鎌倉の寺社122を歩く　山折哲雄/槇野 修
934 世界遺産にされて富士山は泣いている　野口 健
1119 川と掘割"20の跡"を辿る江戸東京歴史散歩　岡本哲志
1182 京都の通りを歩いて愉しむ　柏井 壽
1184 現代の職人　早坂 隆
1238 群島の文明と大陸の文明　小倉紀蔵
1246 中国人のお金の使い道　中島 恵
1256 京都力　柏井 壽

[人生・エッセイ]

263 養老孟司の〈逆さメガネ〉　養老孟司
340 使える!『徒然草』　齋藤 孝
377 上品な人、下品な人　山﨑武也
507 頭がよくなるユダヤ人ジョーク集　烏賀陽正弘
600 なぜ宇宙人は地球に来ない?　松尾貴史
742 みっともない老い方　川北義則
763 気にしない技術　香山リカ
827 直感力　羽生善治
859 みっともないお金の使い方　川北義則
938 東大卒プロゲーマー　ときど
946 いっしょうけんめい「働かない」社会をつくる　海老原嗣生
1067 実践・快老生活　渡部昇一
1112 95歳まで生きるのは幸せですか?　池上 彰/瀬戸内寂聴
1132 半分生きて、半分死んでいる　養老孟司
1134 逃げる力　百田尚樹
1147 会社人生、五十路の壁　江上 剛
1148 なにもできない夫が、妻を亡くしたら　野村克也

1158 プロ弁護士の「勝つ技法」 矢部正秋
1179 なぜ論語は「善」なのに、儒教は「悪」なのか 石 平
1211 保険ぎらい 荻原博子

［**知的技術**］

112 大人のための勉強法 和田秀樹
180 伝わる・揺さぶる！ 文章を書く 山田ズーニー
203 上達の法則 岡本浩一
305 頭がいい人、悪い人の話し方 樋口裕一
399 ラクして成果が上がる理系的仕事術 鎌田浩毅
438 プロ弁護士の思考術 矢部正秋
573 1分で大切なことを伝える技術 齋藤 孝
646 世界を知る力 寺島実郎
673 本番に強い脳と心のつくり方 苫米地英人
718 必ず覚える！ 1分間アウトプット勉強法 齋藤 孝
737 超訳 マキャヴェリの言葉 本郷陽二
747 相手に9割しゃべらせる質問術 おちまさと
749 世界を知る力 日本創生編 寺島実郎
762 人を動かす対話術 岡田尊司
768 東大に合格する記憶術 宮口公寿
805 使える！「孫子の兵法」 齋藤 孝
810 とっさのひと言で心に刺さるコメント術 おちまさと
835 世界一のサービス 下野隆祥
838 瞬間の記憶力 楠木早紀
846 幸福になる「脳の使い方」 茂木健一郎
851 いい文章には型がある 吉岡友治
933 すぐに使える！ 頭がいい人の話し方 齋藤 孝
944 日本人が一生使える勉強法 竹田恒泰
1002 高校生が感動した微分・積分の授業 山本俊郎
1054 「時間の使い方」を科学する 一川 誠
1068 雑談力 百田尚樹
1113 高校生が感動した確率・統計の授業 山本俊郎
1127 一生使える脳 長谷川嘉哉
1133 深く考える力 田坂広志
1171 国際線機長の危機対応力 横田友宏
1186 実行力 橋下 徹
1216 ドラえもんを本気でつくる 大澤正彦
1222 コミュニケーション・ストレス 黒川伊保子
1245 最高の質問力 鎌田 靖